LA NOËL AU CANADA

Louis Fréchette

Copyright pour le texte et la couverture © 2023 Culturea
Edition : Culturea (culurea.fr), 34 Hérault
Contact : infos@culturea.fr
Impression : BOD, Norderstedt (Allemagne)
ISBN : 9791041837120
Date de publication : juillet 2023
Mise en page et maquettage : https://reedsy.com/
Cet ouvrage a été composé avec la police Bauer Bodoni
Tous droits réservés pour tous pays.

À mes enfants, qui ont grandi trop vite.

L'auteur.

Avant-propos

Reste-t-il encore quelque chose à dire ou à écrire sur la fête de Noël, sur cette fête des petits enfants, sur cette fête de famille par excellence, la plus sainte et la plus touchante des fêtes chrétiennes ?

Non, peut-être.

Les poètes l'ont chantée.

Les historiens ont raconté son passage à travers les siècles.

Le peuple en a consacré les traditions dans ses contes et légendes.

La grande voix des orateurs sacrés en a exalté les mystères et publié les gloires.

N'importe !

De même que ces chants à la fois simples et solennels, attendrissants et grandioses, dont la mélodie ne lasse jamais l'oreille, Noël est un de ces sujets inépuisables qu'on peut ressasser à l'infini sans fatiguer jamais.

Quand il s'agit de Noël, les redites même ont pour le lecteur le charme d'un refrain tout plein de réminiscences intimes qui vous rappellent tout à coup comme un long chapelet de petits bonheurs oubliés.

La Noël !

Ne vous semble-t-il pas découvrir toute une série de petits poèmes gais, gracieux et touchants dans ces deux mots ?

Ne sentez-vous pas, en les entendant prononcer, comme un essaim de joyeux et tendres souvenirs s'éveiller et battre de l'aile au fond de votre cœur ?

Ne vous figurez-vous pas qu'ils vous soufflent au front comme une fraîche bouffée d'air pur chargée de tous les virginals parfums de votre innocence passée ?

Ne vous semble-t-il pas y retrouver comme un écho lointain et affaibli des mille et une voix sacrées qui bercent les premières années de la vie, et qui les font si suaves dans leur inoubliable sérénité ?

Noël nous sera toujours cher, car il nous tient par les sentiments et les croyances ;

Par les tendresses et les enthousiasmes ;

Par le cœur et l'esprit.

C'est pour nous la prière et la poésie enveloppées toutes deux dans une même auréole radieuse et caressante.

L'institution de cette fête antique, toujours nouvelle et toujours jeune, remonte au berceau de l'Église d'Occident.

Elle fut célébrée pour la première fois, suivant certains auteurs, par saint Télesphore, en l'an 138.

Ce fut le pape Jules 1er, dont le règne dura de 337 à 352, qui, après avoir consulté les docteurs de l'Orient et de l'Occident sur le véritable jour de la nativité du Sauveur, en fixa définitivement la célébration au 25 décembre, bien qu'il n'y ait rien dans les Évangiles qui indique positivement ce jour-là comme celui du grand événement.

De fête purement religieuse, Noël devint, dans le moyen âge, une fête toute populaire.

C'était le signal des réjouissances, des assemblées joyeuses, des fiançailles.

La crèche de l'Enfant-Jésus devenait chaque année le théâtre de ces jeux scéniques appelés mystères, et que les troubadours et les trouvères organisaient en l'honneur de la sainte Famille.

Plus tard, malheureusement, ces fêtes dégénérèrent en bouffonneries grotesques peu en harmonie avec la solennité des lieux et de la circonstance.

C'est en Espagne que ces coutumes profanes persistèrent le plus longtemps.

Chez nos pères de Bretagne et de Normandie, la nuit de Noël

était l'occasion de longues veillées, surtout au château, où se réunissaient les villageois pour attendre l'heure de la messe de Minuit.

On jetait alors de véritables troncs d'arbres dans les immenses cheminées de l'époque, et l'on se rangeait en cercle autour de l'âtre.

De là ce qui s'appela plus tard la bûche de Noël.

On versait un verre de vin sur cette bûche en disant : *Au nom du Père* ; et l'on se distribuait une sorte de gâteaux que l'on appelait *nieulles* – probablement l'origine de nos croquignoles.

Notons que les croquignoles sont, dans nos campagnes, le mets de Noël par excellence.

Les bonnes ménagères croiraient manquer à toutes les traditions, si, au retour de la messe de Minuit, la famille – et même les voisins – ne pouvaient s'asseoir autour d'un appétissant monceau de croquignoles dorées et toutes croustillantes dans leur toilette de poudre blanche sucrée.

Dans certaines parties de la France – notamment en Alsace – mais surtout en Allemagne et en Angleterre, la bûche de Noël s'est transformée en « arbre de Noël ».

Cet arbre est encore de mode et consiste en une belle tête de sapin, bien régulière et bien verte, aux rameaux de laquelle on suspend, entremêlés de petites bougies multicolores, les jouets d'enfants et les autres cadeaux de famille qu'on échange ce jour-là.

Pour les Anglais, Noël est un jour unique. C'est le jour familial entre tous, le jour des banquets, des réunions mondaines, de l'hospitalité traditionnelle.

L'énumération des quartiers de viande et des pièces de gibier qui se consomment dans la ville de Londres à chaque Christmas fatiguerait, comme dit Louis Blanc, le patient génie d'Homère.

Une légende affirme que, la nuit de Noël, les bêtes acquièrent soudain le don de la parole.

Si la chose est vraie – en Angleterre surtout – cette immense hécatombe de leurs semblables ne doit pas fournir à celles qui restent un sujet de conversation bien réjouissant.

Chez nous, où malheureusement les anciennes traditions tendent à s'effacer, on s'en tient à la messe de Minuit.

La messe de Minuit, touchante solennité que, durant de longues semaines d'attente, les petits enfants entrevoient dans leurs rêves comme une ouverture de paradis.

Mystérieuse cérémonie dont les vieillards même ne peuvent voir le retour annuel, sans entendre chanter au fond de leur cœur la gamme toujours vibrante des joies naïves et des douces émotions de l'enfance.

Qui de nous, entrant dans une de nos églises, pendant la nuit de Noël, peut, sans qu'une larme lui monte du cœur aux paupières, entendre flotter sous les voûtes sonores, avec la puissante rumeur des orgues, ces chants si beaux de simplicité et de grâce naïve, que nous ont transmis ces génies inconnus à qui l'art chrétien doit tant de chefs-d'œuvre :

Adeste fideles ! cette invocation si large de rythme en même temps que si gracieuse de forme.

Nouvelle agréable ! cette mélodie pleine d'entrain si bien dans la note primesautière et joviale de nos pères.

Dans cette étable ! ce cantique dont la majesté nous courbe le front malgré nous devant le grand mystère.

Les anges dans nos campagnes ! cet hosanna triomphal si vibrant de confiance, d'allégresse et d'amour.

Et enfin, le premier de tous, le plus pénétrant et le plus populaire de nos noëls : *Ça, bergers, assemblons-nous !*

Hélas ! elles sont bien loin les heures où j'écoutais tout ému ces vieux cantiques.

La jeunesse s'est enfuie avec elles, pour faire place aux préoccupations de l'âge mur.

Les fêtes de Noël, si lentes à poindre pour les petites têtes blondes qui les attendent avec tant d'impatience, arrivent vite et se succèdent bien rapidement pour les fronts que la soixantaine dénude ou argente.

Eh bien, malgré tout, à chaque hiver qui me vieillit, quand revient ce jour béni entre tous les jours, cette nuit sainte entre toutes les nuits, un recueillement involontaire s'empare de moi.

Et quand, du haut de leurs cages aériennes, les cloches sonnent dans l'ombre l'anniversaire de l'événement auguste, je crois voir l'ange de mes jeunes années qui me pousse du coude, me fait signe du doigt, et m'invite à le suivre auprès de l'humble berceau où sommeille le Dieu des petits enfants.

Cher ange des douces joies et des innocentes gaietés, qui nous reconnait toujours malgré les rides de nos tempes et la lourdeur de nos pas !

Chastes lueurs du passé, nimbes de nos premiers matins, dont le divin reflet nous suit jusqu'au tombeau !

Je vous retrouve dans le cœur de mes enfants, et c'est pour eux, pour qu'ils conservent plus pieusement votre souvenir, que j'ai consacré quelques heures de loisir à écrire ces *Contes et Récits de Noël,* qui leur sont dédiés.

L. F.

Voix de Noël

Le lourd battant de fer bondit dans l'air sonore,
Et le bronze en rumeur ébranle ses essieux...
Volez, cloches ! grondez, clamez, tonnez encore !
Chantez paix sur la terre et gloire dans les cieux !

Sous les dômes ronflants des vastes basiliques,
L'orgue répand le flot de ses accords puissants,
Montez vers l'Éternel, beaux hymnes symboliques !
Montez avec l'amour, la prière et l'encens !

Enfants, le doux Jésus vous sourit dans ses langes ;
À vos accents joyeux laissez prendre l'essor ;
Lancez vos clairs noëls : là-haut les petits anges
Pour vous accompagner penchent leurs harpes d'or.

Blonds chérubins chantant à la lueur des cierges,
Voix d'airain, bruits sacrés que le ciel même entend,
Sainte musique, au moins, gardez chastes et vierges,
Pour ceux qui ne croient plus, les légendes d'antan !

Au seuil

Ce soir-là, nous descendions de Montréal à Québec ; et, sur le pont du bateau, quelques jeunes gens s'étaient mis à causer littérature.

Inutile d'ajouter que, suivant la mode du jour, certains esprits chagrins accusaient l'industrie, le commerce, les sciences positives, le progrès moderne en un mot, d'être incompatible avec les choses de l'idéal. D'après eux, la vapeur, l'électricité et surtout l'esprit de mercantilisme avaient tué la Poésie : la tour Eiffel était son mausolée.

Entre voyageurs on est un peu sans gêne.

– Permettez-moi de vous dire que vous blasphémez, messieurs, fit un des auditeurs que la petite discussion avait attirés. La poésie ne meurt pas, tant que le cœur de l'homme vibre. Elle est beaucoup plus en nous que dans les objets extérieurs. La chose qui semble la plus prosaïque du monde peut, à un moment donné, revêtir un aspect ou inspirer un sentiment d'une poésie intense. Tout dépend des dispositions d'esprit et de cœur où l'on se trouve, et surtout du point de vue où l'on se place.

Tenez, moi qui vous parle, voulez-vous savoir ce que j'ai vu de plus poétique dans ma vie, c'est-à-dire l'objet qui m'a causé à l'âme l'impression la plus vive et la plus attendrie ? C'est quelque chose de bien banal pourtant, une des choses que l'on serait porté à croire, entre toutes, incapables de provoquer une émotion : c'est tout simplement... un poteau de télégraphe !

– Un poteau de télégraphe ? Allons donc !

– Parole d'honneur, messieurs ! Je ne plaisante pas ; et si je vous contais mon histoires, vous me croiriez sans peine.

– Parlez donc, parlez ! fit-on d'une seule voix.

Le nouvel interlocuteur était un de nos compatriotes. Robuste encore, quoique dépassant la soixantaine, il avait l'œil profond, la voix bien timbrée, le langage d'un homme cultivé. En somme une tournure très comme il faut au service d'une intelligence plus qu'ordinaire. Nous l'écoutâmes avec intérêt.

– Messieurs, dit-il, j'ai passé seize ans de ce que je puis appeler ma jeunesse dans des parages bien inconnus à cette époque, mais dont le nom a eu beaucoup de retentissement depuis. Je veux parler du Klondike.

Oh ! l'on ne songeait pas alors à y creuser la terre glacée pour en extraire des lingots ou des pépites jaunes ; on n'y faisait encore que la chasse aux fourrures. C'était la bête fauve que nous traquions, soit le fusil à la main, soit par l'intermédiaire des indigènes qui fréquentaient nos comptoirs.

Les circonstances qui m'avaient conduit là, je n'en ferais pas mention si elles ne contribuaient à faire comprendre l'état d'âme où je me trouvais quand se produisit l'incident dont il s'agit. Ces circonstances, les voici en peu de mots :

Je suis né à la Rivière-Ouelle, un joli endroit situé, comme vous savez tous, à quelque vingt-cinq lieues en aval de Québec, sur la rive droite du Saint-Laurent. Mon père était mort pendant que je faisais mes classes au collège de Sainte-Anne-de-la-Pocatière, et ma mère s'était remariée deux ans plus tard.

Mes études terminées, ma mère désirait me voir embrasser une carrière libérale, ce qui m'agréait assez. Mais cela exigeait certains sacrifices, et mon beau-père, qui, par parenthèse, m'était peu sympathique, s'y opposait carrément. De là des malentendus, des discussions, des froissements ; bref, une vie impossible pour ma mère et pour moi.

Pauvre mère ! elle avait souffert de ma présence, elle eut à pleurer mon éloignement. Pour lui rendre la paix, je saisis la première occasion, et je partis. Un agent de la Compagnie de la Baie d'Hudson m'avait engagé, avec quelques hardis compagnons, pour aller faire la traite des pelleteries dans les territoires voisins de l'Alaska.

Je ne vous raconterai ni mes pérégrinations lointaines, ni mes aventures dans les différents postes où je dus séjourner. Ah ! ceux qui trouvent la civilisation moderne trop terre à terre auraient eu là de quoi se faire passer le goût de la poésie primitive, j'en réponds.

Les choses les plus nécessaires à la vie ne nous manquaient pas ; mais ces mille petites douceurs, ces mille objets superflus qui font le charme de l'existence, il ne fallait pas y songer. Nous avions de l'occupation tant et plus durant une bonne partie de l'année, mais que faire pour se distraire pendant les mortes saisons ? Les livres étaient rares : qu'inventer pour tuer la monotonie des rudes et interminables hivers, en tête à tête continuel avec les mêmes individus, et ne comptant les jours que par une courte apparition du soleil à l'horizon ?

Et point de nouvelles ! Séparés du monde entier durant douze mois d'une année à l'autre. Une seule malle-poste pendant la saison d'été et c'était tout. Imaginez seize ans de cette vie-là !

Enfin, dans l'automne de 1876, le courrier en retard m'apporta deux nouvelles qui me rapprochaient singulièrement de mon pays et de ma vieille mère : le mari de celle-ci était mort, et le chemin de fer du Pacifique canadien venait d'atteindre Calgary, d'où il allait s'élancer d'un bond à l'assaut des montagnes Rocheuses.

J'étais alors au fort Yukon, sur le fleuve du même nom, à cent lieues au nord-ouest, à l'ancien fort Reliance, poste aujourd'hui célèbre sous le nom de Dawson City. Nul engagement ne me retenait là-bas ; un Sioux, qui connaissait bien la route et qui retournait à Edmonton, pouvait me servir de guide. Le cœur bondissant dans la poitrine, je fis les préparatifs de départ.

En sorte que, le 1er novembre au matin, mon sauvage et moi, nous nous acheminions à la raquette sur la surface gelée de la rivière Porc-épic, l'un précédant et l'autre suivant dans un long et fort toboggan chargé de nos armes et bagages, et traîné par quatre vigoureux chiens esquimaux, en route pour le fort Lapierre – une course de deux cent cinquante milles pour ainsi dire d'une haleine.

Du fort Lapierre, il faut traverser les montagnes Rocheuses pour atteindre le fort McPherson. Soixante-dix milles à travers un labyrinthe inouï de torrents, de précipices, de rocs croulants, de glaciers et de pics inaccessibles ! Pour de la poésie sauvage, c'était là de la poésie sauvage ; seulement, on bénit le ciel quand cela devient un peu moins poétique.

En partant du fort McPherson, on suit d'abord la rivière Peel sur une distance d'à peu près cent milles ; puis cent autres milles de prairie, de cours d'eau, de lacs et de portages vous conduisent au fort Good-Hope, sur le Mackenzie, qu'il faut remonter jusqu'au Grand lac des Esclaves ; un trajet, cette fois, de six cents milles en chiffres ronds.

De ce point on coupe à travers la prairie jusqu'à Athabaska Landing, dernière station avant d'arriver à Edmonton ; encore cinq cents milles de marche au moins ! Vous voyez que ce ne sont pas là des promenades ; ni même des voyages à entreprendre à la légère. Mais les étapes ont beau être longues et pénibles, on les parcourt encore assez gaiement, lorsque chacune d'elles nous rapproche de ceux que l'on aime.

Nos journées se passaient en marches non interrompues, si ce n'est par quelques instants d'arrêt pour le repas du midi. Le soir nous campions au premier endroit venu, pourvu qu'on y trouvât du bois pour faire du feu.

Quand je dis nous campions, c'est manière de m'exprimer, car notre campement se réduisait à bien peu de chose. D'abord nous dételions les chiens et nous leur donnions leur ration de poisson gelé – il faut toujours avoir un soin particulier de ces pauvres bêtes, qui sont la ressource suprême et un élément de nécessité première dans de pareils voyages ; – puis, le feu allumé, nous faisions bouillir la marmite.

Oui, comme cela, en plein air, à l'abri de n'importe quoi, quelquefois au vent, sous la neige tombante, dans la « poudrerie ». Puis, après avoir fait sécher nos fourrures rendues humides par une journée de marche, nous nous étendions sur la neige, côte à côte avec nos fusils, entre une épaisse robe d'ours et une couverture en peaux de lièvre nattée ; et bonsoir, camarade !

À l'exception de nos haltes dans les forts et autres stations, où nous passions généralement un jour de repos bien nécessaire et surtout bien gagné, nous logeâmes ainsi à l'enseigne de la Belle-Étoile, jusqu'au 24 décembre, jour où nous espérions atteindre Athabaska Landing de bonne heure dans l'après-midi.

Je m'étais fabriqué un calendrier en forme de fer à cheval, sur lequel de petites marques indiquaient le quantième du mois et les jours de la semaine. Je savais donc que nous touchions à la vigile de Noël ; et malgré les fatigues de cet interminable voyage, je me sentais tout réconforté à l'idée de passer une touchante fête de famille sous un toit de chrétiens, en compagnie de mes semblables, au milieu de compatriotes peut-être...

Malheureusement, mon désir ne devait pas se réaliser. Dès le matin, une neige épaisse soulevée par un violent vent de nord, a rendu notre marche très difficile. À midi, nous étions littéralement enveloppés dans un tourbillon qui ne nous laissait pas voir à dix pieds devant nous.

Les bons Québécois s'imaginent savoir ce que c'est qu'une tempête d'hiver : je ne leur souhaite pas d'aller au fond du Nord-Ouest apprendre à leurs dépens qu'ils n'en ont pas la moindre idée.

C'est tout simplement quelque chose d'horrible. Cela vous aveugle, cela vous bouscule, vous étouffe. Vous perdez pied, vous ne respirez plus, la notion des distances vous échappe. Rien pour vous guider : la clarté du soleil n'est plus qu'une lueur diffuse qui se laisse à peine soupçonner à travers les opacités de l'atmosphère ; la boussole, ce qui arrive souvent dans ces circonstances, s'affole ; et vous n'avancez plus qu'au hasard et pour ainsi dire à tâtons, enfouis, submergés, noyés dans les rafales et les halètements furieux de la tempête.

C'était cette bête farouche qui nous tenait dans sa gueule.

Si nous n'avions pas été aussi pressés d'arriver, nous nous serions blottis au fond de quelque ravin, dans un pli de terrain, derrière un bouquet d'arbres, n'importe où, et nous aurions laissé passer la bourrasque sur nos têtes ; mais je tenais avec l'entêtement du désespoir à ne pas camper dans la prairie ce soir-là, et nous avancions quand même, en dépit de tout et même de notre attelage, qui ne voulait plus marcher que le fouet aux reins.

Efforts inutiles, le poste que nous espérions atteindre semblait reculer devant nous ; et, le soir venu, il devint évident que nous avions fait fausse route. Nous nous en rendîmes compte surtout, lorsque, la tempête calmée et le ciel redevenu clair, nous vîmes par la position des étoiles que nous obliquions trop vers l'ouest. Il fallait se résigner.

Changeant de direction, nous errâmes encore quelques heures, non pas tant à la recherche du poste désiré que pour trouver le bois nécessaire au campement. J'étais harassé de fatigue, et je suivais les chiens, tout chancelant, la jambe molle et le cœur gros.

Tout à coup, le guide, qui avait pris de l'avant, me jeta ce cri :

– Un arbre !

Un arbre, comme cela, tout seul, en pleine prairie, c'était invraisemblable ; le sauvage avait probablement voulu dire un arbuste.

Je tirai néanmoins la hache de dessous la bâche du toboggan, et rejoignis mon camarade. En effet, nous avions devant nous un tronc dénudé, s'élevant du sol, droit au milieu de la grande plaine déserte. Je m'arrêtai un instant, surpris ; puis, tout à coup, le cœur me tressauta dans la poitrine ; je ne pus retenir un cri – un cri étouffé par un sanglot.

Ce tronc sec, cet arbre mort, cette futaie isolée, dressée comme un mât solitaire au milieu d'un océan, elle avait été plantée par la main de l'homme ; c'était un poteau de télégraphe !

Nous avions dépassé Athabaska Landing, et nous étions sur la route d'Edmonton.

Comprenez-vous bien ?

Un poteau de télégraphe ! La sentinelle avancée de la civilisation !

Un poteau de télégraphe ! N'était-ce pas comme une main amie qui se tendait vers moi sur le seuil de la patrie ?

Plus encore, n'était-ce pas le cordial accueil d'un monde retrouvé, la bienvenue sur un sol vivant, cultivé, peuplé d'êtres intelligents, de compatriotes regrettés ?

Je rentrais enfin dans la vie sociale, dans mon pays, dans mon siècle, après seize années d'exil au fond d'immenses solitudes sauvages. Je rentrais presque dans la famille, car ce fil d'acier que j'entendais vibrer là-haut, il me reliait au passé, au village natal, au foyer paternel redevenu plus cher que jamais, à ma vieille mère, à qui je m'imaginais presque pouvoir crier un bonjour de loin, malgré les mille lieues qui me séparaient encore d'elle !

Ah ! tenez, il faut avoir éprouvé cela, perdu sous un ciel boréen, au milieu d'un désert glacé, dans le mystère de la sainte nuit de Noël, pour bien me comprendre ; je vous l'avoue ingénument, je sentis ma tête se troubler.

Et là, sous les yeux ahuris de mon compagnon de misère, qui, tout intrigué par les sons étranges du fil électrique bourdonnant sur nos têtes, murmurait : « Manitou ! Manitou ! » sur un ton d'effroi, je fondis en larmes, et, ouvrant les bras, j'embrassai longuement, longuement ce morceau de bois insensible, ce poteau de télégraphe

– mon frère !

La voix du narrateur tremblait un peu. Quant à nous, nous l'écoutions, émus. Ceux-là même qui avaient si carrément dénoncé le prosaïsme de notre « âge de fer » étaient désarmés. Après quelques instants de silence, le voyageur du Nord-Ouest reprit :

– Qu'ajouterai-je, messieurs ? Je ne voulus pas aller plus loin. Nous campâmes là tant bien que mal ; et je m'endormis au pied de mon nouvel ami, la tête perdue dans mes rêves, pendant que le fil sonore, secoué par le vent de la nuit, m'apportait par lambeaux comme un écho lointain des cloches de la Rivière-Ouelle et des chants sacrés qui en ce moment retentissaient sous les voûtes de nos églises.

Je n'ai jamais assisté à une plus belle messe de Minuit.

Non, non ! la poésie ne meurt pas ; elle vit toujours aux replis des cœurs ; et il suffit parfois de l'effleurement d'un de ces souffles qu'on accuse de l'étouffer, pour éveiller ses plus divines vibrations et lui faire chanter ses plus attendrissantes mélodies.

Le violon de Santa Claus

Sans être précisément âgés, le père et la mère n'étaient plus de la première jeunesse, lorsque après un an de mariage béni par l'Ange des amours heureuses, le petit Louis naquit.

C'était un délicieux bébé rose et blond, avec de grands yeux noirs tout rêveurs, que sa mère berçait presque constamment dans ses bras avec des tressaillements de joie folle, et que le père allait regarder dormir la nuit, des heures entières, éveillé par des hantises de bonheur et d'orgueil paternels.

L'enfant grandit et se développa sous l'influence de ce double rayonnement de tendresse, de même qu'une plante délicate s'épanouit sous les chauds effluves du soleil et la caresse des brises printanières.

Il grandit plein de grâce et de gaieté, toujours choyé, toujours adoré, sans que le pli d'une feuille de rose eût jamais troublé son sommeil, sans que le plus léger nuage eût assombri la douce clarté de son aurore.

Il était charmant. Son sourire avait comme des irradiations lumineuses ; le timbre de sa voix faisait songer au gazouillis des oiseaux sous les feuilles.

À deux ans, il avait de profondes ingénuités. Quand il aperçut pour la première fois le demi-cercle d'or du croissant, il s'écria tout angoissé :

– Papa, vite ! un marteau, des clous, la lune brisée !

Avec cela, crâne comme un paladin.

– Il ne faut jamais aller au coin de la rue, lui dit un jour sa bonne.

– Pourquoi ?

– Il y a des sauvages.

– Des sauvages ! s'écrie-t-il le poing sur la hanche et le sourcil froncé ; as pas peur, vais aller chercher mon sabre !

Enfin, capable de s'oublier des heures entières dans des rêveries étranges. Un soir grand émoi dans la maison : l'enfant est disparu !

Pris d'une horrible inquiétude, on le cherche vainement à droite et à gauche, dans toutes les chambres, au dehors, partout. Nulle trace du petit.

La nuit était déjà avancée, et l'on commençait à perdre la tête, lorsque quelqu'un découvrit l'enfant seul sur un balcon, le menton dans les deux mains, et le regard égaré dans le vague du firmament.

– Mais que fais-tu donc là ? lui demanda-t-on.

– Moi regarde.

– Quoi ?

– Belle étoile !

Mais ce qui le caractérisait surtout, c'était sa passion pour la musique : un air de flûte provoquait son enthousiasme ; une fanfare le faisait bondir comme un choc électrique et le jetait dans des transes.

Ajoutons, par parenthèse, que cette espèce de frénésie maladive le suivit jusque sur les bancs de l'école, où, même à l'âge de huit ou neuf ans, un éclat de trompette ou un roulement de tambour lui faisait irrésistiblement lâcher livres et crayons pour se précipiter dans la rue, et suivre, sans se préoccuper d'aucune permission, la première escouade militaire qui passait.

Mais comme c'est au bébé seul que nous avons affaire, revenons au bébé.

Si jamais un enfant fut passionnément aimé de ses parents, ce fut lui. Je le répète, on se levait la nuit pour le regarder dormir.

Pauvres parents ! le ciel leur réservait une terrible épreuve.

L'enfant avait maintenant trois ans et demi bien comptés.

Or il n'avait pas encore atteint son douzième mois, lorsque la maman lui découvrit à la gorge, dans la région du larynx, une petite tumeur qui se développait d'une façon inquiétante. Qu'on me pardonne une expression technique trop prétentieuse peut-être : c'est ce qu'en termes de chirurgie on appelle kyste sébacé.

Comme on le sait, ces corps séreux n'ont en général aucun danger réel, mais celui-ci se présentait, à cause du voisinage de ces vaisseaux délicats, dans des conditions particulièrement critiques ; et l'opération – nécessaire – pouvait, trop inconsidérément retardée, devenir dangereuse.

La tendresse des parents, après avoir autant que possible ajourné le moment cruel, ne pouvait hésiter plus longtemps ; et, quelques jours avant la Noël, les médecins furent mandés.

Ce fut la mort dans l'âme – est-il besoin de le dire ? – que les parents assistèrent aux terribles apprêts de ce qui leur sembla un chevalet de torture pour l'être qu'ils chérissait le plus au monde.

La mère, enfermée dans sa chambre, pleurait toutes les larmes de son corps ; le père en détresse, le cœur serré comme dans un étau, dut s'emparer par ruse du pauvre petit pour le soumettre à l'influence anesthésique.

Et, comme cela – oui, en pleine santé, en pleine gaieté, avec le printemps dans les yeux et des éclats de rire dans la voix – le cher petit eut les poignets saisis, et ce fut de force et malgré ses résistances désespérées, qu'on lui fit respirer l'horrible drogue, jusqu'à ce qu'il retombât, inerte et pâle comme un cadavre, sur la table où l'attendait le scalpel du chirurgien.

Par malheur, l'opération n'eut pas tout le succès désirable. Au moment le plus scabreux, l'enfant fut pris d'une toux convulsive, et cet accident, impossible à prévenir, eut des conséquences graves. Le kyste, au lieu d'être enlevé intégralement, ne put être extrait que d'une façon incomplète ; et la plaie dut rester ouverte pour la lente élimination du reste par voie suppuratoire.

Mais abrégeons ces pénibles détails.

Les parents, réfugiés dans une pièce à part, attendaient le résultat avec une anxiété plus facile à imaginer qu'à décrire.

– Eh bien ? s'écrièrent-ils tous deux à la fois et la sueur de l'angoisse au front, en voyant apparaître le médecin de la famille, qui avait surveillé l'opération, eh bien ?

– C'est fait, répondit gravement celui-ci.

– Ah ! et puis... ?

– Tout va bien, ajouta-t-il d'un air et sur un ton qui démentaient trop ses paroles.

– Ah ! docteur, docteur, s'il y a du danger...

– Non, il n'y a pas de danger... pour le moment du moins. Seulement, que la mère s'arme de courage, car il va falloir des soins très assidus ; et ce sera peut-être long. Pourvu qu'il ne survienne aucune complication... ajouta-t-il avec un hochement de tête où perçait son inquiétude. En tout cas, il faut prévenir la fièvre par tous les moyens possibles. La garde-malade a mon ordonnance par écrit. Je reviendrai ce soir.

Le soir, le médecin revint.

Il trouva les pauvres parents au comble de la désolation : une fièvre intense s'était déclarée.

Durant trois longs jours et trois longues nuits, le petit martyr fut entre la vie et la mort.

– S'il pouvait dormir ! disait le docteur, qui ne prenait plus la peine de dissimuler son anxiété. S'il pouvait dormir ! Il n'y a que le sommeil qui puisse le sauver. Et malheureusement, dans l'état de faiblesse où il est, ce serait une imprudence que de lui administrer aucun narcotique. Il faut tout attendre de la nature... ou de la Providence.

Ce fut un calvaire pour la malheureuse mère clouée au chevet de son enfant.

Quant au père, il errait par la maison comme un insensé, s'arrachant les cheveux, et ne songeant qu'à se briser la tête contre les murs.

Son fils ! son petit chéri ! son idole ! son seul enfant ! il s'accusait de l'avoir tué, et se maudissait dans des accès de désespoir délirant.

L'enfant n'avait pas dormi depuis deux jours. Insensible à tout ce qui se passait autour de lui, il promenait dans le vague le regard voilé de ses grands yeux vitreux que dévorait la fièvre.

– C'est demain Noël, mon chéri, disait le père penché sur l'oreiller humide de ses larmes et couvrant de baisers fous la menotte qui reposait inerte sur la courtepointe ; c'est demain Noël, la fête de l'Enfant-Jésus. Pendant la nuit Santa Claus va faire sa tournée et distribuer des cadeaux aux petits enfants qui dorment. Tes souliers neufs sont dans la cheminée – là, justement dans la chambre voisine – tu n'as qu'à dire quels jouets tu désires avoir, mon ange ; et si tu dors bien, Santa Claus te les apportera bien sûr. Tu vas dormir, n'est-ce pas ?

Et le pauvre papa détournait la tête pour cacher ses pleurs et refouler ses sanglots.

– Que veux-tu que Santa Claus t'apporte, voyons, dis, mon

trésor ?

– Un violon, répondit l'enfant avec une lueur de joie dans le regard.

– Un violon ? Eh bien, il en a des violons, Santa Claus, j'en suis certain. Dors bien, un bon ange lui dira de t'en apporter un beau.

Mais l'enfant ne dormait pas, et le médecin qui venait le voir plusieurs fois par jour se désolait :

– Ah ! s'il pouvait dormir, disait-il, ne serait-ce qu'une heure !

Dans la soirée, l'enfant fit un signe à son père.

– Qu'est-ce que c'est, mon ami ? demanda celui-ci en se penchant sur le lit pour prêter l'oreille.

– Est-ce qu'il sait en jouer du violon ? fit le bébé d'une voix faible comme un souffle.

– Qui, mon ange ?

– Santa Claus.

Le père se dressa tout à coup sur ses pieds en se frappant le front : une inspiration subite, une inspiration du ciel venait de lui traverser le cœur et le cerveau.

– Mais oui, mon amour ! s'écria-t-il, en pressant la main fiévreuse de l'enfant, oui, mon amour, il sait jouer du violon, Santa Claus. Il en joue délicieusement même. Et, si tu veux bien dormir, sur ton bon petit oreiller, là, ton bon ange le fera jouer pour toi, et tu l'entendras dans un rêve... Tu verras comme ce sera beau !

Et le pauvre père, une dernière lueur d'espoir dans l'âme, sortit sur la pointe des pieds, laissant la mère seule, agenouillée de l'autre côté du lit où le cher malade, assis sur son séant, ouvrait de grands yeux fixes dans la demi-clarté qui filtrait à travers les transparences de l'abat-jour.

La nuit avançait, la sainte nuit de Noël.

Les cloches commençaient à chanter dans les grandes tours lointaines.

Et le bébé ne dormait pas.

Le père, après être resté absent une petite demi-heure, rentra.

– Je viens de voir Santa Claus avec sa hotte pleine de jouets parmi lesquels j'ai cru apercevoir un bijou de violon, dit-il. Il sera ici dans un instant, car il sortait justement d'une maison en face. Baissons les lumières ; et toi, bébé, ferme tes yeux, et fais au moins semblant de dormir.

Il fut interrompu par un léger bruit venant du salon voisin.

– Chut, c'est lui !

Le bruit s'accentua : on aurait dit des cordes de violon qu'une main mystérieuse accordait à la sourdine.

Le malade fit un soubresaut et tendit l'oreille ; on entendait battre son petit cœur dans sa poitrine.

Alors ce fut un ravissement.

Des sons d'une pureté angélique glissèrent dans le silence de la nuit. Des lambeaux de mélodies d'une suavité incomparable flottèrent dans l'air. Des accents d'une douceur infinie, qui semblaient émerger des profondeurs d'un rêve, se répandirent en ondes diffuses dans l'ombre calme et reposée de l'appartement.

La main du bébé tremblait dans celle du papa, dont le regard, noyé dans la pénombre, suivait avec anxiété les diverses phases de surprise, de joie et d'attendrissement qui se manifestaient tour à tour sur les traits émaciés du petit malade.

Celui-ci écoutait toujours.

Un moment l'archet invisible parut obéir à quelque inspiration nouvelle. Les capricieuses fantaisies du début s'éteignirent par degrés, et se voilèrent peu à peu sous le tissu de phrases musicales d'un caractère plus défini.

Des mélodies plus distinctes se mirent à chanter dans les vibrantes sonorités de l'instrument ; et l'oreille put saisir, pour ainsi dire au vol, toute une série, ou plutôt un enchaînement indécis encore mais parfaitement perceptible de ces vieux chants de Noël, si impressionnants dans leur archaïque simplicité – œuvre de ces génies anonymes qui surent si bien rapprocher les deux pôles de la vie, faisant à la fois sourire l'enfance et pleurer les vieillards.

Ils y passèrent tous, les bons vieux cantiques d'autrefois, tour à tour gais, attristants ou solennels, mais toujours émus : – *Çà, bergers, assemblons-nous !* – *Nouvelle agréable !* – *Il est né le divin Enfant...* – *Dans cette étable.* – *Les anges dans nos campagnes...* Et cet *Adeste fideles,* si large de facture, et si vibrant de poésie chrétienne.

Tout cela se succédait, se mêlait, s'enchevêtrait dans un ensemble harmonieux auquel le décor nocturne et cette scène de douleur muette prêtaient un caractère d'une inexprimable intensité d'impression.

L'enfant ne bougeait plus, ne tremblait plus ; le monde extérieur avait disparu pour lui, il était littéralement emporté dans l'extase.

Petit à petit, les sons du violon s'affaiblirent, s'atténuèrent, se simplifièrent dans une suite de modulations berçantes et douces comme un chant lointain, à travers lesquelles l'oreille devinait – entendait presque – les touchantes paroles du cantique populaire :

Suspendant leur sainte harmonie,

Les cieux étonnés se sont tus,

Car la douce voix de Marie

Chantait pour endormir Jésus.

Le père jeta un coup d'œil sur son enfant : deux grosses larmes coulaient sur les petites joues.

Puis, ce fut comme un murmure de la brise, comme un bourdonnement d'abeilles, comme le susurrement d'une source dans les herbes ; avec la suavité d'une caresse à l'oreille, le merveilleux violon chanta ou plutôt soupira la naïve berceuse qui avait tant de fois endormi le bébé dans les bras de sa nourrice :

C'est la poulette grise

Qu'a pondu dans l'église,

Elle a fait un petit coco

Pour bébé qui va faire dodo,

  Dodiche ! dodo !

Le petit ferma les yeux, pencha la tête, et son épaule s'enfonça doucement, tout doucement dans le duvet de l'oreiller...

Presque au même moment, une autre tête retombait sur le bord du petit lit. C'était la pauvre mère, épuisée de veilles, qui s'endormait à son tour avec un sourire d'infinie reconnaissance à Dieu sur les lèvres.

Alors le père, tout perplexe de crainte et d'espoir, se leva sans faire plus de bruit qu'un fantôme, et, se rencontrant avec le médecin dans l'entrebâillement de la porte :

– Il dort ! murmura-t-il hors de lui. Il est sauvé, n'est-ce pas ?

– Ils sont sauvés tous les deux, répondit le docteur, en jetant un coup d'œil dans la chambre du malade.

Et dans un élan de gratitude attendrie, le désespéré de naguère serra en pleurant les deux mains du grand virtuose Jehin-Prume, qui venait de remettre son violon dans l'étui.

Une aubaine

I

C'est la veille de Noël, à Montréal.

Le dos à moitié tourné à l'unique fenêtre d'une modeste chambre d'hôtel, sa palette d'une main et son pinceau de l'autre, un jeune artiste de bonne mine et de façons distinguées travaille fiévreusement devant un petit chevalet de campagne.

À sa gauche, retenue par quatre épingles aux boiseries d'une armoire à glace, pend une vieille toile d'à peu près trois pieds sur deux, toute noircie, dans les tons embrumés du clair-obscur, on distingue les formes gracieuses et les chairs rosées d'un Enfant-Jésus couché sur un coussin, et dont le front s'auréole de vagues lueurs fondues dans les reflets de mille petites boucles blondes.

De temps à autre, le peintre laisse retomber sa main droite sur son genou, fixe la vieille peinture avec une intensité de regard où perce un profond sentiment d'admiration ; puis il se remet à l'ouvrage, son pinceau se jouant sur la mosaïque polychrome de la palette, et voyageant de celle-ci à la toile avec une sûreté de mouvements qui révèle un travailleur habile et expérimenté.

Évidemment il est en frais de copier le bel Enfant-Jésus.

Mais pourquoi consulte-t-il si souvent la modeste montre en argent dont la chaîne démodée émerge de son gousset ?

Pourquoi se presse-t-il autant dans son travail ?

C'est ce que nous saurons bientôt.

En attendant, contentons-nous de constater que son regard se dirige aussi de temps en temps, avec une expression triomphante vers quelques papiers épars à quelques pas de lui, sur la petite table en frêne adossée à la cloison, et profitons du privilège des conteurs pour nous renseigner sur ce que ces papiers peuvent avoir d'intéressant.

Voici d'abord une enveloppe jaunie, dont le cachet est brisé. Un peu chiffonnée, elle semble avoir été ouverte plus d'une fois.

Elle a dû aussi faire un long voyage, car elle est frappée d'un timbre canadien, et porte comme suscription :

Monsieur Maurice Flavigny,

Artiste-peintre,

Poste Restante,

à Paris, France.

Ouvrons et lisons :

Contrecœur, 10 novembre 1871.

Mon cher Maurice, – Un mot à la hâte pour te dire combien ta dernière lettre m'a donné de bonheur en m'annonçant ton prochain retour au pays. Hâte-toi, cher enfant. Hélas ! je ne pourrai te voir, mais je t'entendrai, et je te presserai comme autrefois sur mon cœur de mère.

Je suis encore l'hôte de Mlle D'Aubray, ma petite Suzanne, que j'aime toujours comme ma fille, et qui me sert de secrétaire, depuis que Dieu m'a privée de la vue.

Viens vite, n'est-ce pas ?

Tâche de nous arriver pour Noël !

Ta vieille mère qui brûle de t'embrasser,

SOPHIE FLAVIGNY.

Passons.

Ceci est une dépêche télégraphique :

New-York, 22 décembre 1871.

À Monsieur Maurice Flavigny,

Hôtel Great Western,

Montréal, Canada.

Si Murillo authentique et bien conservé, donnerons dix mille dollars. Voir agent Muller, 4 Petite rue Cray.

Cornhill & Granger.

À côté de cette dépêche, et portant la même signature avec la date du lendemain, dans un endroit bien en vue, s'étalait une lettre constituant un crédit à Maurice Flavigny de mille dollars dans la Banque de Montréal, apostille de Victor Muller, agent de la maison Cornhill & Granger, de New-York.

Cette lettre, le jeune artiste l'avait laissée ouverte sur la table, à portée de son regard comme s'il eût besoin de se persuader chaque instant qu'il n'était pas le jouet d'une illusion.

Dix mille dollars !

Une fortune pour lui.

La maison paternelle rachetée ; la bonne vieille mère à l'abri du besoin ; et, plus que du pain sur la planche, l'aisance honorable et douce, en attendant la réputation et ce qu'elle apporte.

Quel rêve !

Et à qui devait-il tout cela ?

À ce lambeau de toile brunie et racornie par les années, sur lequel un grand peintre avait imprimé le cachet de son génie, et que le plus capricieux des hasards avait fait tomber en sa possession.

Il avait peine à en croire ses yeux.

II

Et, tout en mêlant ses couleurs et en jouant ferme du pinceau, Maurice Flavigny repassait dans sa tête toutes les circonstances qui venaient de le favoriser d'une façon si exceptionnelle, et les événements qui les avaient fait naître.

Il se voyait, cinq années auparavant, à l'âge de dix-huit ans, disant adieu aux siens, et s'embarquant à l'aventure, pour aller demander à la patrie de l'art moderne, la science qui développe le talent, et sans laquelle le génie même reste impuissant et veule.

Il se rappelait ses journées d'ambition fiévreuse, ses longues veilles consacrées à un labeur ingrat, ses désappointements, ses froissements, ses découragements.

Il songeait à l'égoïsme des maîtres, aux jalousies des camarades, aux humiliations subies, aux mille révoltes de sa fierté blessée.

Il revivait, par l'imagination, ses angoisses, ses doutes, ses ennuis, sa nostalgie – sa nostalgie surtout, au sein de cette immense cité où, cruelle ironie, tous les plaisirs semblent se donner rendez-vous pour venir tourbillonner autour de votre isolement.

Les deux premières années avaient été relativement heureuses.

Maurice Flavigny avait « pioché » avec conscience, vivant modestement de la petite pension que lui faisait son père – un notaire de la campagne, propriétaire de deux petites fermes aux revenus limités – et passant ses heures de loisirs dans les musées, étudiant les grands maîtres et demandant à leurs immortels chefs d'œuvre le secret des inspirations fécondes.

Ses progrès furent rapides ; et déjà des lueurs d'espérance de plus en plus vives commençaient à sourire à son ambition, lorsqu'une série de fatalités étaient venues renverser tous ses beaux rêves, et plonger le pauvre garçon dans l'accablement et la détresse.

Des malheurs impossibles à prévoir avaient fondu sur le toit paternel.

De fausses spéculations avaient entraîné le vieux notaire dans une ruine complète.

Et, le jour même où se vendait, par autorité de justice, la maison où Maurice était né, son père mourait d'apoplexie et de chagrin, ne laissant à ses héritiers qu'une police d'assurance sur la vie à peine suffisante pour empêcher sa pauvre femme, devenue aveugle, de tomber au crochet de la charité publique.

Elle avait été recueillie par une jeune institutrice, sa voisine – seul rejeton d'une ancienne famille seigneuriale tombée dans la pauvreté – qui avait spontanément offert à la mère de Maurice une des quatre chambres dont se composait le petit appartement réservé à l'institutrice, dans la maison d'école.

Tous les détails de ces cruels événements lui avaient été communiqués par cette jeune personne, qui naturellement avait dû servir de secrétaire à celle que la plus triste des infirmités empêchait de tenir la plume.

Privé de la pension paternelle, le jeune peintre avait été forcé de négliger l'étude, pour se livrer presque exclusivement au travail du mercenaire en quête du pain quotidien.

Il avait dû, comme bien d'autres, se soumettre à l'exploitation du mercantilisme sans entrailles, qui, à Paris comme ailleurs, spécule sur le talent pauvre pour arracher aux jeunes artistes le sang de leurs veines, en échange d'une bouchée de pain.

Durant deux longues années, il avait ainsi peiné et végété, sans pouvoir, au prix du travail le plus asservissant, amasser seulement la somme nécessaire pour son retour en Amérique.

Puis étaient venus la guerre franco-prussienne, le siège de Paris, les horreurs de la Commune.

Le jeune Canadien, dans le patriotisme de son cœur, n'avait pas hésité : il avait vaillamment payé sa dette de sang à la grande patrie, ayant été blessé, à la prise de Buzenval, à côté de son maître et ami, Henri Regneault, tombé lui-même, frappé par une balle allemande en pleine poitrine.

Puis ce furent les longs mois d'hôpital ; et enfin le harnais repris, le cou de nouveau dans la bricole, pour recommencer la désespérante corvée.

En repassant dans son esprit ces longues années de pauvreté, de douleur et d'abandon, le jeune peintre baissait la tête, et sa figure prenait une expression navrante.

Mais, tout à coup, elle s'éclairait d'un rayon de joie.

Un de ses tableaux reçu et admiré au Salon.

Un amateur riche.

Une vente avantageuse ; les dettes payées, et le retour dans la patrie, avec l'avenir devant lui, auprès de sa vieille mère !

Et Maurice Flavigny, comme s'il n'eût pu contenir son émotion, se levait, arpentait la chambre durant quelques instants, puis s'arrêtait devant sa table, regardait longuement la lettre de crédit bien réelle, bien palpable, qui était là, devant lui, et, se remettant à l'ouvrage, murmurait sur un ton de suprême reconnaissance à Dieu :

– Et maintenant riche !... je suis riche !... Et cela, après avoir vu disparaître ma dernière ressource, avec ce porte-monnaie perdu au moment même où je mettais le pied sur le sol natal ! N'y a-t-il pas là le doigt de la Providence aussi visible qu'il puisse être ?

Et le pinceau allait, venait, brossait toujours, fondant les ombres, assouplissant les contours, accentuant les jeux de lumière.

Et, sous l'effet de l'inspiration fébrile, une intensité de vie étonnante éclatait de plus en plus sur la toile, à mesure que l'œuvre avançait et sortait radieuse de l'ébauche.

III

Mais laissons l'artiste à son travail, et racontons cette histoire de porte-monnaie perdu.

En arrivant à la gare Bonaventure par le train direct de New-York, Maurice Flavigny avait fait transporter ses malles à un hôtel voisin, et avait payé le commissionnaire avec la menue monnaie qu'un Européen porte toujours dans son gousset pour les exigences du pourboire.

Or, conduit à sa chambre, le pauvre jeune homme avait constaté, avec un désespoir facile à imaginer, la disparition de son porte-monnaie contenant tout ce qui lui restait d'argent.

Les recherches furent inutiles.

Il fallut se rendre à la cruelle évidence : il était la victime d'un pickpocket, et n'avait plus même en sa possession la somme qu'il lui fallait pour regagner le village où l'attendait sa mère, sans doute aussi pauvre que lui.

C'en était trop pour le courage d'un homme. Maurice Flavigny tomba à genoux, pleura silencieusement et pria...

Le lendemain matin, quelqu'un frappait à sa porte.

– Monsieur Flavigny ?

– C'est moi.

– Un paquet pour vous.

Notre ami, assez intrigué, prit le paquet, et l'ouvrit.

Un cri de joie lui échappa.

À côté d'un objet roulé, de la grosseur du bras, son porte-monnaie lui-même, bien reconnaissable, était là avec une lettre.

La main toute tremblante d'émotion, Maurice brisa le cachet, et lut l'étrange missive qui suit :

Monsieur, – Celui qui vous écrit est un étranger. Il a vu, hier au soir, tomber un porte-monnaie de votre poche, et l'a ramassé. S'il vous le rend intact, il n'a plus qu'à mourir de faim. Je prends donc la liberté, en vous le remettant, de retenir cinquante dollars sur la somme de cent dix qu'il contient. Mais, comme je ne suis pas un voleur et que je viens d'apprendre, par les registres de l'hôtel, que vous êtes peintre, je vous laisse en échange un objet qui ne peut m'être d'aucune utilité dans ce pays, mais qui – vous pourrez en juger vous-même – vaut certainement, et plus, la somme soustraite. Je suis venu de Québec, il y a six semaines, à petites étapes et à pied. C'est un mode de locomotion auquel, je le sens, je ne me ferai jamais. Aussi je viens d'acheter un billet de chemin de fer pour Chicago avec votre argent. Que Dieu vous garde d'être jamais réduit à emprunter par ce procédé.

Point de signature.

Maurice Flavigny, tout abasourdi, défit le rouleau, et vit apparaître la toile dont nous avons parlé plus haut.

Il l'examina d'abord d'une façon assez indifférente, croyant avoir affaire à quelque vieille croûte comme il y en a tant.

Mais plus il lui donnait d'attention, plus il sentait s'éveiller son intérêt.

C'était quelque chose, en fin de compte.

Il n'y avait pas à dire, c'était quelque chose.

Une œuvre ancienne ; un tableau de maître, un chef-d'œuvre peut-être !

– Voyons, voyons, disait-il, avec anxiété.

Et il étendait la toile, l'approchait de la fenêtre, la lorgnait à distance.

Tout à coup un éclair lui traversa le cerveau :

– Si c'était possible !... Un Enfant-Jésus de Murillo !... En effet, ces suavités de teintes, ces ombres aériennes si mobiles, ces chauds reflets de lumière, cette bouche et ces yeux humides, cette grâce de modelé, cette morbidesse des chairs, cet ensemble à la fois réaliste et idéal, ce sont bien là les caractéristiques du maître espagnol... Oui, c'est bien un Murillo. La signature se reconnaît à chaque coup de pinceau... Ici ! et par quel hasard ? Et je suis, moi, possesseur de ce trésor ! Ô ma bonne mère !

Et Maurice Flavigny essuya ses yeux pleins de larmes.

Il se rappelait qu'en passant à New-York il avait fait la connaissance de riches marchands de tableaux, qui lui avaient dit :

– Il doit y avoir de vieilles toiles de maîtres au Canada, dans les anciennes familles françaises. Si vous en rencontriez, et que les possesseurs voulussent s'en départir, songez à nous.

Et à cette pensée, Maurice avait eu un frisson de joie qui lui avait serré le cœur et lui avait mis comme un sanglot dans la gorge.

– Sainte Vierge, s'écria-t-il, en trois jours d'ici c'est fête de Noël ; si je vends ce tableau, je fais vœu d'en peindre une copie pour la crèche de mon village !

IV

Et plein de confiance – sa dépêche parti pour New-York – le jeune peintre s'était mis à l'œuvre.

Cette copie en deux jours, c'était une rude tâche, mais il y arriverait.

Deux jours de plus sans voir sa mère après cinq ans d'absence, c'était un grand sacrifice mais il s'y soumettrait.

Le lecteur sait déjà que le Murillo avait victorieusement subi l'épreuve de l'expert, et que Maurice Flavigny n'attendait plus que d'avoir donné le dernier coup de pinceau à sa copie, pour toucher le prix de l'original.

Qu'on nous permette d'abréger.

Vers trois heures de l'après-midi, après avoir soldé sa note d'hôtel, conclu ses derniers arrangements avec l'agent de la maison Cornhill & Granger, et fait emballer, avec toutes les précautions voulues, sa précieuse copie ornée d'un joli cadre en or fin commandé d'avance, le jeune voyageur avait traversé le fleuve à Longueuil, et là avait pris une voiture de louage pour se faire conduire à Contrecœur.

On le retrouve frappant à la porte du presbytère de cette dernière paroisse, son *ex-voto* à la main.

Le curé – un brave cœur avec une âme d'artiste – enchanté de l'aubaine, naturellement, accueillit avec une extrême courtoisie son ancien paroissien qu'il connaissait seulement de nom, n'étant que depuis trois ans à la tête de la paroisse.

Il admira beaucoup le petit tableau – auquel il trouvait comme un air de *déjà vu*, disait-il – et, une heure après, celui-ci, couronné de fleurs et de verdure, suspendu au fond du reposoir sacré, au-dessus de la châsse traditionnelle si chère aux petits enfants, n'attendait que la cloche de minuit pour resplendir dans toute sa grâce et sa fraîcheur virginale à la lueur des lampes et des cierges.

Et Maurice Flavigny avait quitté la cure de Contrecœur avec une nouvelle commande, pour l'église, d'un grand tableau de la *Sainte-Trinité*, patronne de la paroisse.

Jugez quel orchestre délirant, quel cantique attendri devait chanter au fond du cœur de ce jeune homme de vingt-trois ans, qui, dans cette nuit de Noël, si joyeuse, si solennelle, si impressionnante pour tous, apportait le bonheur et la richesse à ce qu'il avait de plus cher au monde – sa bonne vieille mère pauvre et aveugle, qu'il n'avait pas revue depuis cinq ans !

Maurice Flavigny la trouva seule au logis, avec une petite servante – la jeune institutrice, qui était en même temps l'organiste de la paroisse, ayant dû passer la journée au village chez son cousin – un jeune médecin récemment établi à Contrecœur – afin d'être plus à portée de l'église pour les répétitions.

V

Passons sous silence l'entrevue de la mère et du fils.

Ces scènes débordantes de tendresse heureuse ne se décrivent pas.

Le cœur humain est ainsi fait, que l'intensité de la joie se traduit comme la douleur, par les larmes.

Longtemps ils pleurèrent dans les bras l'un de l'autre.

Puis – ô mystérieuse impulsion de l'âme qui, dans le bonheur comme dans la détresse, sent le besoin de s'épancher au pied de Celui qui est la source de toute félicité comme de toute consolation ! – la pauvre aveugle prit son fils par la main :

– Viens, Maurice, dit-elle, en s'orientant de son mieux vers un pan de mur nu, mais où ses yeux éteints semblaient contempler quelque chose d'invisible, viens, mon Maurice, viens t'agenouiller avec moi devant l'Enfant-Jésus !

– Quel Enfant-Jésus ? demanda le jeune artiste, qui n'avait pas vu les signes multipliés que, depuis un instant, lui faisait la petite bonne en train de dresser le couvert.

– Mais l'Enfant-Jésus de Suzanne, qui est là sur le mur, la vieille peinture qu'elle aime tant.

– Je ne sais ce que vous voulez dire, fit Maurice, dont les regards allant du mur à la mère, n'avaient pu rencontrer ceux de la bonne.

– Comment, tu ne vois pas de tableau à ce mur !

– Mais non, fit le jeune homme en regardant sa mère avec une surprise inquiète.

– L'Enfant-Jésus n'est plus là !... L'Enfant-Jésus est parti !... Ah ! mon Dieu, mon Dieu, j'ai peur de comprendre.

Et la pauvre femme s'affaissa sur une chaise en s'écriant :

– Maurice ! Maurice ! jamais nous ne pourrons nous acquitter.

La petite bonne, que Maurice interrogea après quelques instants d'hésitation, expliqua tout.

Pendant la dernière maladie de Mme Flavigny, Suzanne, à bout de ressources, ne sachant où prendre de l'argent pour acheter des médicaments ordonnés par le médecin de la paroisse voisine – il n'y en avait pas dans le moment à Contrecœur – avait vendu son tableau à un étranger, un passant entré chez elle par hasard.

Elle en avait reçu un bon prix, par exemple : cinq piastres comptant !

Ce qui ne l'avait pas empêchée d'avoir les yeux rouges en s'en séparant, et en recommandant à la petite bonne de ne rien dire de tout cela à personne – surtout à Mme Flavigny, qui n'y voyant point, s'imaginait que l'Enfant-Jésus était toujours à sa place. Voilà !

– Maintenant, ajouta-t-elle, n'allez pas dire à Mlle Suzanne que j'ai trahi son secret ; elle ne me gronderait pas, elle est bien trop bonne ; mais cela lui ferait de la peine, n'est-ce pas, Madame ?

La mère de Maurice pleurait en silence, pendant que lui-même, en proie à quelque singulière préoccupation, réfléchissait profondément en arpentant la pièce de long en large.

Enfin il prit la parole :

– Comment était ce tableau ? demanda-t-il.

– Oh ! une vieillerie, répondit sa mère ; mais l'enfant y tenait. C'était un trésor pour elle : tout ce qui lui restait de sa famille – une ancienne famille de Québec. La dernière bribe de leur fortune d'autrefois, que sa grand-mère lui avait laissée en lui disant qu'elle lui porterait bonheur... Et dire que la chère petite s'en est séparée pour moi !... Oh ! Maurice, Maurice, quel ange !... Et si belle... dit-on.

Maurice réfléchissait toujours.

– Était-il grand, ce tableau ?

– À peu près trois pieds sur deux, répondit la petite bonne.

– Un Enfant-Jésus ?

– Oui, couché sur un oreiller de soie, avec de beaux petits chevaux dorés.

Maurice devenait hagard.

– Le fond noir ? demanda-t-il d'une voix mal assurée.

– Très noir, Monsieur !

VI

Depuis quelques instants, l'on entendait, à intervalles, des tintements de grelots et de clochettes se mêler au dehors aux grincements des traîneaux sur la neige durcie.

C'étaient les paroissiens qui se rendaient à l'église, et prenaient le devant pour avoir le temps de faire leurs dévotions et se préparer à communier à la mystérieuse et poétique messe nocturne.

Tout à coup :

– Woh !... woh !... Harrié donc !

Des voix à la porte.

Une voiture, deux voitures arrêtées.

– Qui est-ce ?

– Ce sont les Gendreau et les Benoît, Madame.

– Nos anciens fermiers, Maurice ; tu les as connus. De braves gens qui ne m'oublient point.

– Entrez, messieurs et dames, entrez !

– Bonsoir la compagnie.

– Comment ça va-t-y, ce soir, mame Flavigny ?

– C'est vous, monsieur et madame Gendreau ? C'est toi, Julie ? Et ton mari, je suppose ?

– Marcel Benoît pour vous servir, mame Flavigny.

– Oui, Madame, interrompit Gendreau – qui était un peu orateur, ayant déjà été candidat aux honneurs municipaux – Marcel Benoît et Philippe Gendreau, vos anciens fermiers, qui se souviennent de leur bonne maîtresse, et qui viennent, avec leurs épouses ici présentes, vous souhaiter la Noël, avec tous les compliments de la saison, comme disent les gens instruits.

– Merci, merci, mes bons amis !

– Plusse que ça, mame Flavigny, je venons d'apprendre que vot' jeune monsieur, que vous attendiez, est arrivé à soir, et comme on sait que vous pouvez pas sortir, si vous voulez nous le permettre, on viendra réveillonner tous ensemble avec vous autres, après la messe de minuit.

– Vous êtes mille fois trop bons, fit en s'avançant Maurice Flavigny, qui, toujours absorbé dans ses réflexions, s'était un peu tenu à l'écart. Monsieur et madame Gendreau, monsieur et madame Benoît, je suis touché de votre démarche. Je sais que vous avez été d'excellents amis pour ma pauvre mère, et je suis heureux d'avoir l'occasion de vous en remercier. Quant au réveillon...

– Vous ne trouverez guère à vous régaler ici, interrompit Mme Flavigny.

– Ta ta ta ta !... C'est pas vous autres qui régalez, s'écria Philippe Gendreau. J'avons apporté tout ce qu'il faut. On sait ce que c'est quand on n'attend pas de visite.

– Voyons, Lisette ! voyons, Julie ! s'écrie à son tour Marcel Benoît, montrez vos provisions. Tenez, regardez voir ça ! Deux paniers pleins : des tourquières, des tartes, un soc, un dinde, des croquecignoles – des vrais croquecignoles de Noël – comme on sait que vous les aimez, mame Flavigny.

– Oui, oui, oui ! mais faut pas oublier de mentionner le reste, ajouta Philippe Gendreau avec un clin d'œil significatif et en tapant légèrement sur une petite cruche de grès au ventre rebondi ; de la jamaïque du bon vieux temps, monsieur Maurice ; celle que votre père aimait. J'ai cru vous faire plaisir, et j'espère que vous la trouverez de votre goût. Pauvre M. le notaire, c'est le reste d'un petit baril qu'il m'avait donné le jour de mes noces !

Maurice Flavigny, le cœur tout remué par cette cordialité naïve, passait d'un groupe à l'autre, serrant silencieusement la main à tout le monde, trop ému pour remercier autrement.

– Eh bien, c'est entendu alors, s'écria Philippe Gendreau de son verbe retentissant.

– C'est entendu, répéta Marcel Benoît, son fidèle écho.

– La Louise va venir, continua Gendreau, pour aider à la petite créature à mettre tout ça sur la table. Nous autres, filons ! le dernier coup de la messe va sonner. À l'église d'abord, on réveillonnera ensuite. Monsieur Maurice, j'ai une place pour vous dans ma carriole, à côté de ma vieille. Seulement, vous prendrez garde : elle est un peu chatouilleuse !

Maurice, pour qui ces manières joviales et familières, n'étaient pas nouvelles, accepta de grand cœur, et, après avoir endossé les lourds vêtements d'hiver qu'il s'était procurés à Montréal, alla déposer un long baiser sur le front de sa mère.

– À bientôt, mon fils, dit celle-ci. Remercie l'Enfant-Jésus pour tout le bonheur qu'il nous donne ce soir. Tu vas voir Suzanne ; dis-lui que je l'attends sans faute après la messe, avec son cousin, le nouveau docteur, et sa femme, si elle peut sortir par ce froid-là.

– Ho ! ho !... Embarque ! embarque !... Perdons pas de temps, nos gens !

C'était la voix tonitruante de Philippe Gendreau qui donnait le signal du départ.

– Embarquez, embarquez, les créatures !...

C'était Marcel Benoît qui, suivant son habitude, secondait l'initiative de son camarade.

VII

Et gling ! glang !... diriding !...

Voilà les deux équipages filant au grand trot sur la neige criarde, et sous un ciel criblé d'étoiles scintillant au fond de l'azur comme des pointes d'acier chauffé à blanc.

Gling ! glang ! glong !... diriding ! ding !

Ils vont les bons petits chevaux canadiens, s'ébrouant dans la buée, secouant leurs crinières où le givre brode des festons, et emportant, avec l'ardeur qu'on leur connaît, Maurice Flavigny et les fermières emmitouflées au fond des « carrioles », tandis que, debout sur le « devant », bien ceinturées dans leurs « capots » de chat sauvage, le « casque » sur les yeux, des glaçons dans les moustaches et les guides passées autour du cou, Philippe Gendreau et Marcel Benoît se battent vigoureusement les flancs pour se réchauffer les doigts, car l'air est très sec...

Et gling !... gling ! diriding !...

Ils vont toujours les braves petits cheveux canadiens, encouragés par des sons plus lointains, que bientôt la rafale de vent apporte par volées intermittentes :

Dang ! dong !...

Ce sont les cloches, cette fois, les cloches de la paroisse qui chantent leurs noëls joyeux dans la nuit, au clocher à lanternes de la vieille église de Contrecœur, dont on aperçoit bientôt les grandes fenêtres illuminées de rose faisant contraste avec les pâles clartés du dehors.

Au moment où Maurice Flavigny entrait dans l'église et se dirigeait vers le banc de Philippe Gendreau situé en avant, près de la chapelle de la Vierge, en face de la crèche de l'Enfant-Jésus, une voix sonore et douce, une voix de femme toute vibrante d'extase émue, et qu'accompagnaient les accords d'un harmonium habilement touché, entonnait le vieux noël de nos pères, ce chant d'un sentiment si pénétrant dans sa naïveté rustique :

Ça bergers, assemblons-nous !

Fut-ce simplement l'impression que tout cœur un peu vivant éprouve en revoyant la vieille église du village où l'on a été baptisé, où l'on a fait sa première communion, où l'on a prié enfant, ou bien l'effet que produisit sur lui cette voix au timbre d'or qu'il entendait pour la première fois ? Toujours est-il que le jeune étranger s'agenouilla, ou plutôt se laissa tomber à genoux, la tête cachée dans ses deux mains et la poitrine secouée par mille sensations étranges et toutes nouvelles pour lui.

Quand il releva les yeux, son Enfant-Jésus était là, qui le regardait avec un sourire ineffable, au milieu de son encadrement de dorures, de fleurs et de lampions multicolores.

Alors deux grosses larmes coulèrent sur ses joues.

Il rêvait.

Il rêvait à son passé, à son avenir.

Et, bercée par les chants naïfs et solennels de cette nuit toute remplie du mystère sacré, sa pensée entière se fondait en réminiscences douces, et dans on ne sait quels vagues espoirs qui lui montaient au cœur comme des bouffées d'attendrissement et de bonheur.

Peu à peu, la figure du divin *bambino*, qu'il ne cessait de contempler avec les regards enthousiastes de l'artiste, se transforma en une délicieuse figure de jeune fille blonde, au front virginal, aux yeux caressants et veloutés, aux traits réguliers et sereins dans leur expression de suprême bonté et de suave mélancolie.

La scène entière se transforma aussi par degrés.

Il voyait cette jeune fille élevée dans l'opulence, et réduite à un travail ardu pour vivre, recueillir chez elle une pauvre femme aveugle et sans appui, se faire son ange gardien, sa fille, sa garde-malade.

Bien plus encore, il la voyait sacrifier à vil prix une relique de famille, un souvenir sacré, un chef-d'œuvre choyé, vénéré, prié, pour secourir cette pauvre infirme, une étrangère pour elle, mais qui était sa mère à lui !

Car, il n'en doutait pas, cet Enfant-Jésus à la copie duquel le curé avait trouvé des airs de *déjà vu*, ce tableau qui était tombé entre ses mains d'une façon si bizarre, ce Murillo qui l'avait enrichi, ce ne pouvait être que la vieille toile vendue en secret à un passant pour sauver sa mère…

Et cette voix qui lui remuait si profondément toutes les fibres du cœur, n'était-ce pas celle de cette jeune fille, de cette bienfaitrice obscure – celle de Suzanne ?

Et ce nom à moitié prononcé vint expirer sur ses lèvres, comme la plus radieuse en même temps que la plus troublante des musiques.

VIII

La communion approchait.

La voix, qui venait de moduler les dernières notes de la touchante pastorale empruntée par le talent de Lambillotte au génie de l'auteur de *Guillaume Tell*, se tut.

Quelques lambeaux d'accord flottèrent encore un instant sous la profondeur sonore des voûtes.

Puis Maurice Flavigny vit passer à sa gauche, se dirigeant vers la table sainte, une grande jeune fille toute blonde, élégante et distinguée, modestement vêtue de noir, et dont la vue le fit tressaillir.

La jeune fille s'agenouilla, reçut la communion, puis vint se prosterner dévotement devant la crèche de l'Enfant-Jésus.

Quand elle releva la tête pour faire le signe de la croix, un léger cri lui échappa, et on la vit chanceler.

D'un bond Maurice Flavigny fut près d'elle et la soutint dans ses bras.

Quelques minutes après, on frappait à la porte du médecin, qui accourait en toute hâte de son côté ; mais bien inutilement en ce qui regardait Suzanne – car c'était elle – la fraîcheur du dehors l'ayant complètement remise du choc soudain qu'elle avait éprouvé à la vue du tableau de Maurice.

Quand celui-ci et le cousin de Suzanne, se trouvèrent en présence l'un de l'autre, leur surprise se traduisit par deux exclamations :

– Gustave !

– Maurice !

– Par quel hasard, grands dieux ?

– Moi ! j'habite Contrecœur depuis un mois ; et toi, quand es-tu revenu d'Europe ?

– Mais j'arrive ce soir même.

– C'est incroyable ! Et qui t'attire ici ?

– Ma mère, parbleu, qui demeure avec... Mlle D'Aubray, n'est-ce pas ? fit Maurice en s'inclinant du côté de la jeune fille.

– Chez Suzanne ?

– Oui, cousin, intervint l'institutrice ; cette dame aveugle dont je t'ai parlé !... il paraît que c'est la mère de monsieur.

– Vraiment ? Comme ça tombe ! moi qui dois aller lui donner des soins.

– En effet, à Paris, tu étais oculiste.

– Sans doute.

– Ah ! mon cher, si jamais...

– Je te comprends, sois tranquille. On travaillera de son mieux.

– Mais comment se fait-il ?

– Qu'un spécialiste soit à Contrecœur au lieu d'être à Montréal ? Des intérêts de famille, mon cher ; et puis la santé de ma femme à qui il faut l'air de la campagne, – car je suis marié, mon bon, marié depuis six mois. Mais nous nous raconterons tout cela en route, car j'ai donné ordre d'atteler. Je vais reconduire Suzanne, et il y a naturellement place pour toi dans la voiture. Avec ta permission, cousine ?

– C'est cela, en route ! interrompit Philippe Gendreau, qui, après s'être absenté un instant, venait de reparaître sur le seuil de la porte, son fouet à la main, et avec son fidèle Achate sur les talons.

– En route ! répéta Marcel Benoît ; nos petites femmes attendent.

– Vous savez que nous réveillonnons tous ensemble, docteur, n'est-ce pas ? ajouta Philippe Gendreau ; c'est entendu !

– C'est entendu, docteur ! répercuta Marcel Benoît.

– Ah ! dame, fit le médecin, écoutez, s'il y a réveillon c'est autre chose. Il faut attendre une seconde, alors ; j'aurai mon mot à dire dans cette affaire-là.

Un instant après on était en route.

IX

En entrant, la jeune institutrice courut embrasser la mère de Maurice.

C'était une habitude de tous les jours ; mais, soit grâce à la journée d'absence, soit pour autre cause, l'aveugle ne put s'empêcher de remarquer en elle-même, que « sa petite Suzanne » l'embrassait, ce soir-là, avec une effusion toute particulière.

– Oh ! la belle messe de Minuit que nous avons eue, mame Flavigny ! s'écrièrent fermiers et fermières – Philippe Gendreau, Marcel Benoît, Lisette et Julie – en s'approchant de la table qui croulait presque sous les mets robustes et succulents de nos compagnes, rangés avec art par « la Louise » et la petite bonne de Suzanne, à côté des pyramides monumentales de croquignoles, saupoudrées de sucre blanc – le gâteau national sans lequel un réveillon de Noël serait incomplet sur les bords du Saint-Laurent !

Et bientôt, au milieu des rires et des éclats de voix joyeuses, la bombance commença, après le bénédicité prononcé dévotement par l'aveugle sur cette table autour de laquelle venait de s'asseoir tout ce qu'elle aimait au monde.

– Oui, une belle messe de Minuit ! dit le docteur. Avez-vous remarqué comme le curé paraissait de bonne humeur ?

– Et quel beau chant ! ajouta timidement Maurice.

Suzanne leva les yeux sur lui.

Le peintre était assis auprès de sa mère et à l'autre bout de la table, la jeune femme avait modestement pris place auprès de son cousin.

– Oui, oui, oui, oui, oui ! c'est parfait comme ça ; s'écria Philippe Gendreau ; mais on prend rien pendant ce temps-là, nous autres. Allons donc, les messieurs et les petites dames – sauf vot' respect, mame Flavigny – si on prenait une petite santé entre nous autres ? Ne serait-ce que pour avoir un petit speech de M. Maurice !

– Ça, c'est une idée ! ne manqua pas d'appuyer Marcel Benoît.

– Alors, intervint le docteur en se dirigeant du côté où il avait déposé son paquet en entrant, si c'est comme ça, en avant ma surprise !

Et il revint avec deux bouteilles cachetées, qui, quoi que le lecteur puisse en penser, n'eurent pas l'air trop dépaysées sur la table de cette pauvre maison d'école de Contrecœur.

– C'est, ma foi, du champagne ! s'écria Maurice.

– Eh oui ; du champagne, et du bon ! fit le docteur en clignant de l'œil avec l'assurance d'un connaisseur.

– Un banquet alors ?

– Les restes de celui que mes confrères carabins m'ont donné la veille de mes noces, mon fiston ! C'est double fête.

Et le jeune médecin, après avoir fait sauter les bouchons et rempli les verres, leva le sien en s'écriant :

– Mes amis, à la santé, d'abord, de Mme Flavigny ; et puis, à celle de mon brave camarade Maurice, nouveau Messie, qui nous arrive, comme un Enfant-Jésus, en pleine nuit de Noël !

– Noël ! noël ! crièrent tous les convives en se levant et en choquant leurs verres, d'un côté de la table à l'autre.

Suzanne avait disparu.

Celui à qui l'on venait de porter un toast si cordial se leva à son tour, pendant que tous les autres reprenaient leurs sièges, et, après avoir vidé son verre :

– Mes amis, commença-t-il, d'une voix émue...

Il s'interrompit.

Une voix délicieuse, la même qui avait tant surpris le jeune peintre à son entrée dans l'église, une de ces voix qui partent du cœur et qui vont au cœur, une voix dont le timbre laissait comme transparaître on ne sait quelle fraîcheur d'émotion sereine, venait de se faire entendre dans une pièce voisine, soutenue par un petit mélodion dont les sons tremblants et doux se mariaient avec elle d'une façon charmante.

La voix chantait :

Nouvelle agréable !

Aux dernières notes du joyeux couplet, les applaudissements éclatèrent de tous côtés.

– Noël ! noël ! cria-t-on de nouveau.

Maurice embrassait sa mère qui pleurait.

Suzanne était revenue prendre sa place à table à côté de son cousin tout ému lui-même, et baissait la tête en rougissant un peu sous le regard profondément attendri dont le fils de Mme Flavigny l'enveloppait des pieds à la tête.

X

Un courant d'effluves mystérieux flottait dans l'air.

En une minute, deux cœurs venaient de s'échanger, dans cette entente muette et inconsciente de deux êtres intelligents et bons, pacte sacré que l'Ange des amours saintes va signer devant Dieu un sourire sur les lèvres.

Maurice voulut reprendre la parole :

– Mes amis, dit-il, vous venez de boire à la santé de ma mère et à la mienne...

Il fut interrompu de nouveau.

– Attendez, j'en suis ! s'écriait la voix joyeuse d'un nouvel arrivant.

Une exclamation générale de surprise répondit :

– Monsieur le curé !...

Et tout le monde se leva respectueusement devant le pasteur aimé et vénéré de la paroisse.

– Oui, fit celui-ci, qui tenait sous son bras un objet d'assez grandes dimensions ; oui, madame Flavigny, oui, mademoiselle Suzanne, c'est moi, qui viens vous demander la permission de me mêler un instant à votre joie.

– Bravo ! bravo ! monsieur le curé ! Venez vous mettre à table avec nous.

– Certainement, mes enfants ; mais d'abord, permettez-moi d'apporter ma quote-part à la réjouissance générale.

Et le bon curé étala, aux yeux de tous, l'objet qu'il portait sous le bras, et qui n'était autre que la copie du Murillo peinte avec tant de soin par Maurice, et qui avait figuré le soir même à la crèche de Noël, dans l'église de la paroisse.

– Mon Enfant-Jésus ! s'écria Suzanne hors d'elle-même ; je n'avais pas rêvé... Et tout neuf !... tout rajeuni ! tout rayonnant !... Comment se fait-il donc ?

– Mademoiselle, dit le bon curé, on vient de m'apprendre qu'il y a pour vous un grand souvenir et une touchante histoire de dévouement attachés à cette charmante peinture ; vous méritez qu'elle vous revienne, et j'ai tenu à l'honneur de vous la présenter moi-même dès ce soir. La paroisse vous doit bien cela pour les services précieux et gratuits que vous rendez à notre église, d'un bout de l'année à l'autre, comme organiste et cantatrice.

– Noël ! noël ! recommencèrent toutes les voix, pendant que Suzanne, les mains jointes, et encore sous le coup de la surprise, disait :

– Monsieur le curé, parlez ! ce n'est pas un rêve, c'est un miracle, n'est-ce pas ?

– Oui, mon enfant, un miracle de savoir faire. Demandez à mon nouveau paroissien, M. Maurice Flavigny, qui va se charger, n'est-ce pas, de dissimuler la soustraction que je viens de commettre au détriment de ma fabrique, et à l'insu de mes marguilliers.

La jeune fille se tourna lentement et rendit au jeune homme le long regard dont il l'avait caressée un instant auparavant.

Après s'être devinés, ils se comprenaient.

La plus suave des émotions emplissait désormais leurs deux âmes.

– Voyons, à table ! à table ! s'écria Philippe Gendreau ; nous ne faisons que commencer.

Une autre voix répondit :

– À table !

Pas besoin de demander si c'était celle de Marcel Benoît.

XI

– Monsieur Flavigny, je bois à votre heureux retour parmi les vôtres ! fit le bon curé en vidant le verre que venait de lui offrir le jeune médecin ; Dieu vous bénisse dans vos voies, et vous garde toujours digne de la sainte mère qu'il vous a donnée !

– Merci, monsieur le curé, pour ces bons souhaits, dit Maurice Flavigny, en prenant la parole sur un ton tout particulièrement grave ; je vais essayer de m'en montrer digne, dès l'instant.

Et, quittant son siège, il alla déposer devant la jeune institutrice, une enveloppe blanche, en disant :

– Mademoiselle, cette enveloppe contient un mandat de crédit sur la Banque de Montréal pour dix mille dollars ; c'est une somme que je vous restitue.

– Hein !

– Quoi ?

– Comment ?

– Dix mille piastres !

– Voyons, ce n'est pas possible.

– Qu'est-ce que cela veut dire ?

– Cela veut dire, mes amis, répondit Maurice, que l'original du tableau que vous venez de voir, appartenait à Mademoiselle ; que c'était l'œuvre d'un grand maître ; qu'il m'était tombé entre les mains d'une façon fortuite et pour ainsi dire providentielle ; que je l'ai vendu pour dix mille dollars ; et que j'en remets tout simplement le prix à qui de droit.

– Mais, Monsieur, fit Suzanne, que ces assauts multipliés avaient rendue toute pâle et toute nerveuse, vous ne me devez rien. Ce tableau ne m'appartenait plus ; je l'avais vendu.

– Oh ! non, Mademoiselle, vous ne l'aviez pas vendu ; comme un bon ange que vous êtes, vous aviez sacrifié cette relique de famille qui vous était chère, pour venir au secours de ma pauvre mère malade et délaissée.

– Qu'importe, Monsieur ! Même en supposant un acte aussi charitable de ma part, je ne puis m'attribuer la propriété d'un objet sur lequel j'ai perdu tout droit de réclamation.

– Mademoiselle...

– Non, Monsieur, je ne puis prendre cet argent, fit Suzanne en remettant l'enveloppe au jeune homme. Il n'est pas à moi.

– Alors, tiens, mère ! fit Maurice en mettant la traite entre les mains de l'aveugle ; donne-lui cela toi-même... puisqu'elle ne veut rien accepter de moi...

– Maurice, tu es digne de ton père ! dit solennellement la pauvre aveugle.

Et s'adressant à Suzanne :

– Ma fille, dit-elle, Suzanne, mon enfant, accepte cette somme ; elle est à toi ; c'est la prédiction de ta grand-maman qui s'accomplit : tu te souviens, ce tableau devait te porter bonheur. Tu as pris soin de moi, tu m'as soulagée dans ma détresse, tu as veillé à mon chevet, tu m'as sauvé la vie ; Dieu t'en récompense par la main de mon fils, et par l'intermédiaire inconscient de l'objet même dont ta charité s'était servi. Prends cet argent !

– Non, Madame, inutile d'insister, fit Suzanne inébranlable. Cet argent n'est pas à moi !

– Mais il t'est dû.

– Madame Flavigny, si j'avais quelque titre à votre reconnaissance, ce ne serait pas une raison pour moi, n'est-ce pas, d'accepter le paiement d'un service rendu ?

– Et moi, Mademoiselle, intervint Maurice, je ne saurais garder cet argent qui vous appartient. M'enrichir au prix de votre sacrifice – à vous à qui je dois tant – ce serait une lâcheté qui me rendrait méprisable à mes propres yeux. Acceptez, je vous en prie... Suzanne ! dit-il.

Et il s'arrêta, tout bouleversé d'avoir osé prononcer ces deux syllabes qui n'avaient fait encore que monter de son cœur pour expirer sur ses lèvres.

– Acceptez, insista-t-il, pour votre bonheur et le nôtre.

– Impossible, monsieur Maurice, répondit la jeune fille, en se cachant la tête dans ses mains. Cet argent est à vous ; je ne l'accepterai jamais... jamais...

Maurice laissa tomber ses deux bras de découragement, et jeta les yeux autour de lui, comme pour demander conseil.

Que faire ?

– Voyons, monsieur le curé, parlez, supplia la pauvre aveugle.

XII

Les deux jeunes gens étaient debout, l'un en face de l'autre, les yeux baissés, confondus dans le même embarras, aussi perplexes qu'affligés devant cette fortune inespérée qui leur tombait du ciel, et qu'ils ne pouvaient toucher, ni l'un ni l'autre, sans capitulation de la conscience et du cœur.

– Monsieur le curé, voyons... firent ensemble tous les assistants.

– Dame, mes bons amis, dit le saint prêtre, le cas est bien embarrassant... Cependant, puisque Dieu leur envoie cette aubaine, il doit y avoir un moyen... Au fait il y aurait un moyen... mais...

– Monsieur le curé, je vous comprends, interrompit joyeusement le jeune médecin. Vous l'avez trouvé, le moyen ! Il n'y en a point d'autre... Et si Mme Flavigny avait par hasard la moindre velléité de me demander la main de ma cousine pour son fils, après ce que j'ai remarqué chez moi, le long de la route et ici, je lui donne ma parole d'honneur que j'irais « mettre les bans à l'église » avant la quinzaine.

– Et je vous garantis que cela ne vous coûterait pas cher, dit le curé.

– J'en accepte votre parole, monsieur l'abbé ; quant à moi, je n'aurai qu'une condition à imposer : c'est que, pour éviter tout nouveau conflit d'intérêt, les futurs époux soient en communauté de biens.

– Bravo ! Noël ! noël !...

Les deux enfants étaient si confus qu'ils n'osaient pas lever les yeux l'un sur l'autre.

L'aveugle, toute tremblante, étendit les deux bras vers Suzanne, qui s'y précipita en sanglotant.

Lisette, Julie, « la Louise » et la petite bonne se passaient le tablier sur les yeux. Maurice mit un genou en terre, saisit la main de Suzanne et y déposa un long et ardent baiser.

– Bénissez-les, monsieur le curé, disait la bonne mère en essuyant elle aussi ses pauvres yeux éteints. Bénissez-les, vous qui pouvez les voir !

Et, pendant que le vieux curé levait ses longues mains blanches au-dessus des deux jeunes fronts inclinés, le médecin – qui, à la

dérobée, avait plus d'une fois examiné les prunelles de la malade –
s'approcha d'elle, et lui dit à l'oreille :

– Vous les verrez, vous aussi, dans quelques semaines, madame
Flavigny, prenez-en ma parole !

Le petit tableau devait porter bonheur à tout le monde.

Et si quelqu'un eût, à ce moment-là, passer sur la route, en face
de la vieille maison d'école de Contrecœur, il eût sans doute
entendu mêlées à de bien joyeux éclats de rire, des voix jeunes et
vieilles, claires et sonores, qui criaient :

– Noël, Noël !

– Nous en ferons un conseiller ! disait Philippe Gendreau.

– Un maire ! s'écriait Marcel Benoît, qui pour la première fois, se
permettait de différer d'opinion avec son ami.

Tempête d'hiver

La première fois que je fus parrain, dit le juge, ce fut dans une circonstance assez extraordinaire.

Cela me reporte à plus de quarante ans en arrière. Nous étions en décembre.

Je ne sais plus trop à quel propos et par quel hasard, il devait y avoir, dans le comté de Charlevoix, une élection pour la législature en janvier, c'est-à-dire dans quelques semaines.

Et, les choses se passant alors à peu près comme aujourd'hui, tous les jeunes avocats ou autres membres des professions libérales, qui avaient quelques aspirations à la vie publique, étaient mis en réquisition, pour appuyer respectivement de leur parole les candidats des deux partis.

Habitant Québec à cette époque, et faisant partie de la belliqueuse phalange, je fus un des premiers appelés sous les drapeaux.

Vous savez si c'est une rude corvée que de courir la campagne – surtout la campagne électorale – à cette saison de l'année ; mais à l'âge où j'étais, vous le savez aussi, on ne recule devant rien, lorsqu'il s'agit de payer de sa personne en faveur d'une cause chère.

Du reste, je n'avais encore jamais visité ces parages, qu'on disait très pittoresques ; et, bien que la saison fût peu favorable à l'étude de la belle nature, je n'hésitai pas à entreprendre l'excursion, me disant que, dans ces pays montagneux, les paysages d'hiver ne pouvaient manquer de gagner en beauté sauvage ce qu'ils perdaient en grâce romantique.

Avec cela qu'on m'avait donné un fort aimable compagnon de voyage dans la personne d'un de mes confrères de classe, au petit séminaire de Québec, un jeune médecin fort distingué qui, hélas ! a été enlevé à la science avant d'avoir pu donner la mesure de son talent.

Nous nous étions rappelé, lui et moi, qu'un autre confrère de classe à nous venait d'être nommé curé de Saint-Tite, et nous nous mîmes en tête qu'il serait agréable d'aller lui faire la surprise d'assister à la messe de minuit dans sa nouvelle paroisse, où l'abondance des distractions ne pouvaient guère être pour lui une occasion bien prochaine de péché.

Une bonne veillée en famille entre une pipe et un tire-bouchon, puis une joyeuse messe nocturne dans quelque chapelle rustique, puis un bon réveillon avec « tourtières », croquignoles, et le petit verre de réconfortant à la santé de notre candidat, tout cela constituait, vous l'admettrez, une perspective assez alléchante.

Aussi nos plans furent-ils vite combinés, et nous voilà partis, avec un bon cocher du nom de Pierre Vadeboncœur, connaissant bien la route, et deux chevaux fringants attelés en flèche, qui secouaient leurs colliers de grelots avec un entrain superbe.

Le ciel était grisâtre, mais rien ne faisait trop présager le mauvais temps ; de sorte que nous pûmes facilement faire nos calculs pour arriver à Saint-Tite un peu avant six heures du soir.

Le coffre de notre traîneau avait été divisé en deux compartiments : dans l'un nous avions entassé nos munitions de campagne, c'est-à-dire les documents publics qui devaient servir d'appui à notre éloquence ; l'autre contenait tout ce que nous avions cru nécessaire à la veillée de Noël que nous nous proposions de passer au presbytère de notre ami, dont le garde-manger et surtout le cellier pouvaient bien – les curés de ces pays-là n'ayant pas l'habitude de nager dans l'opulence – ne pas recéler absolument tout ce qu'il fallait pour rassasier deux gaillards comme nous, après douze lieues de route, par un froid de quelques degrés au-dessous de zéro.

Je ne vous ferai pas une description des campagnes que nous eûmes à parcourir.

Beauport, l'Ange-Gardien, Château-Richer, Sainte-Anne-de-Beaupré et même Saint-Joachim, où l'on voit de nombreux vestiges historiques, sont de belles paroisses.

Mais de là jusqu'à Saint-Tite, c'est une interminable ascension, à travers le pays le plus tourmenté et le plus désolé qu'on puisse imaginer, une route mortelle tantôt plongeant en pleine forêt, tantôt s'allongeant sur des sommets pelés, gravissant d'âpres montées, coupant des gorges fantastiques, et côtoyant de vertigineux précipices.

Nous sommes aux Câpes, Messieurs.

Ce chemin du paradis, c'est la route de la Miche. Et la route de la Miche, c'est là que le vent du nord-est souffle ferme, et que les tourmentes d'hiver fouaillent dur !

Or le temps, qui s'était tenu au beau une partie de l'après-midi, avait commencé à se brouiller sérieusement dès notre passage à Sainte-Anne.

Une neige épaisse et « boulante », soulevée de temps en temps par des bouffées de vent qui n'annonçaient rien de bon, commençait à emplir les routes et à entraver l'allure de nos chevaux.

Cela retarda un peu notre arrivée à Saint-Joachim, où nous fîmes halte un instant chez un nommé Filion – une très proprette auberge de village – pour allumer nos pipes et nous dégourdir.

– Messieurs, nous dit l'hôtelier, vous allez penser que c'est pas beaucoup de mes affaires, mais si j'étais que de vous, j'irais pas plus loin que ça à soir.

– Vous voulez dire ?

– Je veux dire que le cap Tourmente porte pas ce nom-là pour rien ; et regardez voir s'il a pas l'air de se cacher pour faire un mauvais coup. Je vous persuade que dans une demi-heure d'ici, ils seront un peu *game*, les chevaux qui passeront dans les Câpes.

– C'est pas des chevaux de Saint-Joachim qui nous mènent, vous savez ! fit notre cocher un peu piqué. Je les ai déjà vus, les Câpes ; on sait ce que c'est !

– Pas autant que moi, fit l'aubergiste, et je vous gage ma maison toute meublé que vous passerez pas dans les Câpes à soir.

– Ah ! ah ! ah ! J'allons voir ça ! fit Pierre Vadeboncœur en allumant sa pipe et en nous faisant un clin d'œil que nous comprîmes fort bien.

Filion, un brave homme évidemment, comprit aussi sans doute, car se tournant vers nous :

– Si ces messieurs, dit-il, me soupçonnent de donner des conseils intéressés j'ai plus qu'à leur souhaiter bonne chance. Mon devoir est fait.

L'homme était sincère, nous le sentions, mais manquer notre veillée de Noël, notre messe de Minuit, la surprise préparée par notre ami, cela nous chiffonnait trop. Et puis Vadeboncœur semblait si sûr de son affaire...

Bref, nous remontâmes en voiture, et pendant que nous nous enveloppions chaudement dans les « robes », le cocher cingla d'un coup de fouet le ventre de ses chevaux qui s'élancèrent, en s'ébrouant, le front dans la « poudrerie ».

L'aubergiste avait dit vrai : moins d'une heure après, nous cheminions à l'aveugle, dans des chemins impraticables, en pleine nuit, et perdus dans un tourbillon de neige et de grêle dont ne peuvent se faire une idée ceux qui ne l'ont pas vu.

Après avoir gravi des escarpements à pic au sommet desquels nos chevaux avaient peine à s'arc-bouter contre le vent, il nous fallait descendre dans d'immenses ravins bordés de sapins géants, où ils disparaissaient presque dans des amoncellements de neige mouvante, à moitié étranglées par la rafale.

Nous n'avancions plus que le pas naturellement, car les pauvres bêtes épuisées et aveuglées par le grésil ne marchaient plus que la tête baissée, se laissant guider au petit bonheur.

– Si nous tournions bride, dis-je au cocher. Il est évident que nous ne pouvons guère aller plus loin.

– Revirer ? fit le pauvre homme, qui avait l'air de se repentir de ses fanfaronnades de tout à l'heure ; il est trop tard, monsieur. Je ne vois plus clair ni mes chevaux non plus. En revirant, nous risquerions de manquer le chemin, et alors je donnerais pas cinq sous de nos trois peaux.

Le docteur ne disait rien, mais j'oserais bien affirmer qu'il n'en pensait pas moins.

La situation était presque désespérée ; car, si nous ne pouvions retourner sur nos pas, il était d'autant plus impossible de nous arrêter là que le froid, jusqu'alors assez supportable, augmentait d'intensité d'une façon terrible, et malgré nos épaisses fourrures commençait à nous envahir de la tête aux pieds.

Nous n'avions pas d'autre alternative, il fallait avancer, avancer quand même et à tout risque.

Messieurs, j'ai été en détresse un jour sur mer, avec bien peu d'espoir d'en réchapper, je vous assure. Eh bien, nulle angoisse de naufragés ne saurait être comparée à ce que, mon compagnon et moi, nous éprouvâmes ce soir-là, quand nous nous vîmes ainsi perdus dans cette nuit, cette solitude et cette tempête, à des milliers d'arpents de toute habitation, peut-être, à moitié paralysés par un froid de loup, et allant à l'aventure, traînés par deux pauvres chevaux épuisés, qui menaçaient de s'abattre à chaque instant dans l'aveuglant tourbillon.

La chose ne tarda pas, du reste.

Tout à coup, notre cheval de brancard s'arrêta net en renâclant, secoué par un accès de tremblement convulsif : son compagnon de traits venait de perdre pied au bord d'une déclivité, et se débattait sur le flanc, enseveli dans une fondrière de neige.

– Le maudit Filion nous a ensorcelés ! s'écria notre malheureux cocher, en se précipitant à la tête du second cheval, qu'un mouvement de l'autre pouvait entraîner avec lui. Si nous avons perdu le chemin, il ne nous reste plus qu'à faire notre prière, Messieurs !

Malgré ces paroles désespérées, le pauvre diable avait pourtant réussi à dégager de l'attelage le cheval abattu, et sauvé ainsi une partie de la situation.

Mais que faire maintenant ?

Laisser le pauvre animal périr dans la neige ?

Il fallait d'abord savoir si l'autre serait de force à poursuivre la route tout seul.

Nous mîmes pied à terre – quand je dis pied à terre, c'est manière de m'exprimer, car sortir de voiture dans ces conditions, c'était plutôt se jeter à la nage – et nous essayâmes de porter secours à l'infortuné Vadeboncœur, à qui, au moins, il restait encore le courage de vouloir sauver son cheval.

Mon Dieu, quelle nuit ! Je ne souhaiterais pas à mon plus mortel ennemi d'en voir une semblable.

Tout à coup notre cocher poussa un cri de joie :

– Une barrière ! nous sommes sauvés !

En effet, du côté opposé à la déclivité dans laquelle s'était enfoncé le cheval, notre homme avait rencontré une clôture ; et en tâtonnant pour s'emparer d'une perche qui pût l'aider dans son œuvre de sauvetage, il avait mis la main sur une barrière.

Une barrière, c'était une maison ; et une maison, c'était le salut.

– Attendez-moi, fit le brave Pierre tout joyeux ; dans dix minutes, y aura du monde pour nous aider.

En effet à notre grande joie, il reparaissait quelques instants après, avec un individu muni d'une lanterne et d'une corde, et... hop ! voilà notre pauvre cheval sur pied.

– Bon voyage ! fit le nouveau venu d'un air extraordinairement affairé. Si le bon Dieu a pas soin de vous autres c'te nuit, je vous plains.

– Comment, bon voyage ! m'écriai-je ; mais pensez-vous que nous allons continuer sur ce train-là ? Votre maison est près d'ici, vous ne pouvez pas laisser des voyageurs en perdition sur la route par une nuit pareille.

– Mes bons messieurs, fit l'homme à la lanterne, vous allez dire que c'est pas beaucoup chrétien, mais sur ma conscience du bon Dieu, y a pas moyen de coucher chez moi à soir. Non, vrai là, y a pas moyen !

– Pas moyen ? mais nous ne sommes pas exigeants, mon brave ; un petit coin sous votre toit, deux chaises, un banc, le plancher, rien du tout ; mais, au nom du ciel, ne nous laissez pas ensevelir dans la neige et geler tout vivants, en pleine nuit, sur cette route de malheur. Ça ne se fait pas ça, voyons !

– Hélas ! mes chers messieurs, ç'a l'air ben dur en effet ; mais y a pas de ma faute, allez ; c'est impossible !

Et prenant notre cocher à l'écart, il l'entretint seul un instant.

Tout à coup, il eut une exclamation :

– Un docteur ! Y a un docteur ici !...

Et il se précipita vers nous en s'écriant :

– Où est-il, le docteur ?

– C'est moi, fit mon ami.

– Ah ! monsieur, fit le pauvre homme avec des airs de vouloir lui sauter au cou, vous êtes médecin ? C'est le bon Dieu qui vous envoie. Par ici, monsieur ! par ici, vite ! ajouta-t-il en entraînant après lui mon compagnon de voyage.

Nous les suivîmes avec les chevaux, à la lueur de la lanterne laissée entre les mains de Pierre.

– L'écurie est à droite ! nous cria l'homme en poussant le docteur à l'intérieur d'une pauvre habitation en troncs d'arbres bruts, et en me fermant presque la porte au nez.

– Ça me fait l'effet que je sommes de trop, fit Pierre, assez mystérieusement ; mais comme j'ai les doigts gelés sauf vot' respect, je cré ben que vous ferez mieux de les laisser manigancer tout seuls, et, si c'est un effet de vot' bonté, de m'aider à dételer.

Le malheureux avait, en effet, deux doigts gelés à chaque main.

– Ma foi, répondis-je, à la guerre comme à la guerre ! s'entraider est la première loi de la nature. À l'œuvre !

Et pendant que le pauvre diable, tout transi et tout geignant, se frictionnait les doigts dans la neige mouvante, je rangeai notre véhicule sous une remise et fourrai tant bien que mal nos pauvres bêtes « dedans », comme on dit là-bas ; puis, après avoir entassé une demi-botte de foin dans chacune des mangeoires, je me dirigeai – pas fâché d'aller prendre mes aises à mon tour – vers la maison avec le malheureux Pierre que l'onglée faisait plier en deux.

Il poussa la porte, et j'entrai en secouant le verglas qui me couvrait de la tête aux pieds, et en arrachant les glaçons qui pendaient à mes cheveux et à mes moustaches.

Une surprise m'attendait.

À peine avais-je – dans ma hâte de m'approcher du bon poêle « à deux ponts » qui bourbonnait joyeusement au beau milieu du logis rustique – laissé tomber dans un coin les lourdes fourrures dont j'étais affublé que je vis apparaître mon compagnon de route, le docteur, la figure tout épanouie, et portant sur ses deux mains un tout petit paquet, avec les précautions et le respect qu'il aurait mis à porter le saint-sacrement.

– Mon ami, me dit-il en s'inclinant, arrêt ! à l'appel ! j'ai l'honneur de te présenter un nouveau citoyen, espoir de la Patrie. Car je viens, au nom de la faculté de médecine de l'université Laval, de donner un billet de passage gratis sur la route orageuse de l'existence, sans compter celle des Câpes.

– Comment, c'est-il Dieu possible, un nouveau-né !

– Oui, monsieur, pour vous servir, fit notre sauveteur tout ému et tout souriant, un petit ange du bon Dieu, notre premier !

– Un soir de Noël ! mais on pourrait le prendre pour l'Enfant-Jésus lui-même !

– C'est pourtant vrai que not' petit est né le jour de Noël ! fit l'heureux père en se penchant vers la porte de la chambre à coucher.

– Vous voyez bien, reprit le docteur que ce n'est pas moi, mais lui, que le bon Dieu vous a envoyé, mon ami.

– Lui et vous, monsieur, tout le monde ! vous êtes tous des envoyés du bon Dieu ! s'écria le brave homme, en s'essuyant les yeux du revers de sa manche.

Que vous dirais-je, messieurs ?

Le bébé était bien faible ; dans l'état où se trouvaient les chemins, il ne fallait pas songer à le porter à l'église avant trois jours ; et, pour calmer les anxiétés de la pauvre mère terriblement énervée par cette nuit de tempête, le médecin fut d'avis de procéder à l'ondoiement.

– Vous ne refuserez pas d'être parrain, n'est-ce pas ? me dit le père.

– Parrain ? Ça me va, mon brave, je serai parrain.

– Et vous l'appellerez ?

– Noël, parbleu ! nous l'appellerons Noël, c'est de circonstance.

– Noël, c'est cela ; ça ira parfaitement avec mon nom de famille, qui est Toussaint.

– Parfait, alors !

Nous fîmes les choses en règle.

Le docteur officia, naturellement ; et je pris au sérieux mon rôle de parrain, assisté par une accorte et avenante marraine – la mère de la malade.

Je vous vois sourire, messieurs ; vous me trouvez un peu grotesque dans ce cas insolite. Eh bien, si vous eussiez été là, vous n'auriez pas souri.

Quand l'eau de la régénération coula sur le front de ce petit être si frêle et si pauvre à qui, par le plus grand des hasards, nous venions peut-être de sauver la vie à son entrée en ce monde, au fond de ce réduit si humble et si primitif, nous songeâmes involontairement à l'étable de Bethléem ; et cette impression fut si vive pour moi, que je crus réellement entendre la voix des bergers antiques, lorsque notre brave cocher, qui était allé finir son « train » à l'écurie, mit le pied sur le seuil de la porte en lançant, parmi les mille voix stridentes du dehors, les premières notes du vieux noël populaire :

Les anges dans nos campagnes...

Nous nous agenouillâmes ; et pour ma part – pourquoi ne l'avouerais-je pas ? – je sentis couler sur ma joue une grosse larme que je n'eus pas la moindre envie d'essuyer furtivement.

Les choses de la religion ont, pour les croyants, de ces émotions bénies qui remuent l'âme trop profondément pour ne pas être le mot de bien des énigmes, la solution de bien des problèmes.

Mais la cérémonie ne devait pas se borner là.

Le voyage de Pierre à l'écurie n'avait pas eu le seul intérêt de ses chevaux pour mobile.

Sa sagacité de Normand avait flairé le contenu du panier qu'il nous avait vus enfouir sous le siège de sa « carriole », et faisant cette réflexion judicieuse que ce qui vaut chez le curé ne saurait démériter chez le paroissien, il en conclut en saine logique que, le réveillon du presbytère de Saint-Tite étant manqué, il eût été absurde de ne pas utiliser ces bonnes choses ailleurs.

Sur ce, comme ses doigts gelés avaient enfin recouvré leur circulation normale, il avait tout simplement apporté le panier à la maison, et quand nous nous en aperçûmes, la table était mise.

On s'imagine l'explosion de gaieté qui s'ensuivit.

Tous les couplets et les refrains de Pierre y passèrent, accompagnés par le tintement des verres et les grondements lointains de l'ouragan.

Messieurs, j'ai fêté la Noël en France, aux États-Unis et ici – chez moi et chez d'autres. Eh bien, rien n'a pu me faire oublier, même dans l'éclat des demeures somptueuses, des tables et des toilettes les plus brillantes, cette joyeuse trinquée de Noël à la santé de ce fils de paysan, assoupi dans son berceau rustique, sous le toit de cette misérable cabane de colons, isolée dans les montagnes, et secouée par les déchaînements d'une tempête boréale.

Petite Pauline

Petite Pauline, petite Pauline, quoi, si jeune, si jeune encore, et déjà désillusionnée.

Vous ne croyez plus à Santa Claus...

Ni à Croquemitaine sans doute – l'un n'allant pas sans l'autre.

Déjà blasée sur les légendes enfantines ! Que sera-ce donc quand vous aurez vingt ans, quand vous aurez entrevu tout ce que la vie réserve de déceptions aux cœurs faits pour les naïves croyances ?

Avait-elle entendu raconter la chose par son frère aîné, ou la petite coquine l'avait-elle découverte toute seule à la Noël précédente ?

Éveillée à moitié dans son petit lit tout blanc, avait-elle surpris du coin de l'œil, dans les vagues lueurs de la veilleuse, maman qui se glissait en tapinois du côté de la cheminée, où les petits souliers attendaient le passage de Santa Claus ?

Je ne sais, mais toujours est-il que, pour une cause ou pour une autre, petite Pauline ne croyait plus.

Petite Pauline, petite Pauline, prenez garde ; une fois sur le chemin de l'incrédulité, où vous arrêterez-vous ?

Adieux les visions rayonnantes qui vous font sourire dans votre sommeil !

Adieu les beaux anges flottants qui vous bercent dans leurs bras, et rafraîchissent votre front du vent de leurs grandes plumes soyeuses !

Adieu les rêves du paradis dans les enchantements des parfums roses et des lumières odoriférantes !

Adieu les premières illusions !

Petite Pauline, petite Pauline, Dieu vous garde les autres !

Petite Pauline était une adorable fillette de cinq ans, blonde et jolie, aux yeux doux et rêveurs, très grande pour son âge, qui lisait déjà passablement, chantait sa petite berceuse au piano et dansait le menuet avec une grâce exquise.

Quand elle se balançait, harmonieusement cambrée, la pointe du pied en avant et la jupe ouverte en éventail dans la pincée de ses doigts mignons, le papa souriait, charmé, la mère admirait d'un air ravi, et « tante Lucie », folle d'orgueil, s'emparait de petite Pauline comme d'une proie et la dévorait de caresses jalouses.

Qu'était-ce que tante Lucie ?

Tante Lucie – qui, par parenthèse n'avait de tante que le nom… et les tendresses – était restée veuve d'un homme qui l'adorait et qu'elle avait adoré, mais dont elle n'avait jamais eu d'enfants.

Elle jouissait d'une aisance suffisante pour assurer son indépendance ; mais presque sans parenté, elle se voyait condamnée à un isolement relatif, lorsque deux jeunes mariés – des amis de cœur pour elle et pour le regretté défunt – l'invitèrent à passer quelque temps dans leur intérieur confortable et gai.

Quand elle voulu repartir, on n'y consentit pas.

Sa bonne nature, son esprit délicat, ses conseils toujours marqués au coin d'un jugement solide, et enfin mille petits services rendus en avaient fait comme l'ange bienfaisant du foyer.

Elle était devenue indispensable : elle devint partie intégrante de la famille.

Sur ces entrefaites, petite Pauline naquit.

Pas besoin de dire qui fut la marraine.

Tante Lucie s'empara du bébé, et désormais l'enfant eut deux mères.

Le rôle de la bonne devint une sinécure. La véritable mère même n'eut plus qu'un privilège, celui de tendre le sein.

Cette étrangère, qui n'avait jamais connu les bonheurs ni les ivresses de la maternité, se prit à aimer cette enfant de tout l'amour vierge qui lui restait au cœur.

Son cœur pour le mari perdu, toute l'affection, tout le dévouement, toutes les idolâtries qu'elle aurait eus pour ses propres enfants si Dieu en eût donné, elle reporta tout sur cette ravissante tête blonde qui souriait à ses vieux jours avec une expression d'extatique reconnaissance.

Car les enfants, de même que certains êtres privés de raison, s'ils n'ont pas la conscience des choses au point de raisonner leurs sentiments, en ont au moins l'instinct, et petite Pauline, sans se rendre compte, probablement, de l'adoration dont elle était l'objet, donnait amour pour amour à sa vieille amie, et n'avait d'yeux que pour elle.

Petite Pauline grandit à l'ombre de tante Lucie.

Et toutes deux – le bébé rose et celle qui aurait pu être son aïeule – devinrent inséparables.

La nuit, les deux lits – le petit et le grand – étaient à côté l'un de l'autre.

À table, c'était tante Lucie qui donnait la becquée à petite Pauline, laquelle se retournait de temps à autre pour lui faire, de sa menotte aux ongles roses, une caresse à la joue, ou lui passer comme un collier son bras autour du cou.

L'enfant suivait sa vieille camarade partout, s'asseyait auprès d'elle pour bercer ses poupées, passait d'une pièce à l'autre en la tenant par la main, l'entretenait de son intarissable babil, ou, pendant que s'allongeait la broderie ou le tricot, s'amusait à fredonner des bribes de mélodie comme un rossignol sur sa branche.

Si petite Pauline s'apercevait d'une absence de quelques instants, « Tante Lucie ! » s'écriait-elle tout alarmée.

Lorsqu'on s'avisait – il est toujours quelqu'un pour taquiner les enfants – de lui dire : « Tu sais, petite Pauline, tante Lucie va s'en aller ! » petite Pauline ouvrait de grands yeux tout effarés, sa figure prenait une expression de suprême détresse, et sa bouche, sa chère petite bouche au fin et doux sourire, se plissait convulsivement dans l'ébauche d'un sanglot.

Il fallait vite dire : « Non, non, chérie ! non, chérie, c'est pour rire ! » sans quoi la pauvrette aurait fondu en larmes.

Son front se rassérénait aussitôt, mais sa petite poitrine palpitait longtemps encore comme celle d'un oiseau blessé.

Cependant Noël arrivait.

On parlait de cadeaux, d'étrennes, que sais-je ?

Les yeux de petite Pauline brillaient et interrogeaient ceux de tante Lucie, dont la légère patte d'oie se contractait dans un sourire mystérieux et bon, tout plein de promesses faisant présager mille radieuses surprises.

– Si petite Pauline est bien sage, disait tante Lucie, si elle fait bien sa prière et se couche de bonne heure, après avoir suspendu ses petits bas au pied de son lit, et mis ses beaux souliers neufs dans le coin de la cheminée, pour sûr Santa Claus, qui est le commissionnaire du bon Jésus, descendra cette nuit, et viendra tout doucement, très doucement, les remplir de bonbons, de poupées et de jouets de toutes sortes.

– Avec sa grande barbe blanche ?

– Oui, mon amour.

– Avec son gros bonnet pointu ?

– Oui, mon trésor.

– Et son beau manteau fourré ?

– Oui, ma mignonne.

– Et son grand panier ?

– Oui, chérie, tout plein de jolis présents pour les bébés sages qui se couchent de bonne heure, et qui prient bien le bon Dieu.

– Ha ! ha ! ha !...

Et le rire perlé de petite Pauline éclata, sonore et frais comme les glouglous d'un robinet d'argent, tandis que, le front ceint d'une couronne de papillotes et les pieds perdus dans sa longue robe de nuit aux dentelles blanches, elle s'agenouillait devant tante Lucie, avec un coup d'œil narquois plein de provocante incrédulité.

– Et toi, tante Lucie, dit-elle, vas-tu accrocher tes bas au pied de ton lit, et mettre tes souliers neufs dans la cheminée ?

– Ah ! mais non.

– Pourquoi ?

– Mes bas et mes souliers sont trop grands, Santa Claus verrait bien que ce ne sont ni des bas ni des souliers de bébés.

– Mets-les toujours, dis !

– Pourquoi cela ?

– Petite Pauline veut.

– Ah ! dame, si Petite Pauline veut, tante Lucie obéira, c'est écrit.

Et voilà les bas de tante Lucie suspendus aux barreaux de sa couchette de cuivre, et ses pantoufles rangées près des chenets, à côté des souliers neufs de petite Pauline, qui cache sa tête blonde dans ses oreillers, frémissante et rieuse comme un bébé qu'on chatouille, mais toujours avec la même expression de physionomie narquoise et perfide.

Petite Pauline, petite Pauline, vous dissimulez quelque chose ; que méditez-vous ?

Tenez, vous voilà qui fermez vos beaux yeux et qui faites semblant de dormir ; quelle espièglerie méditez-vous, petite Pauline ?

Tous les soirs, toilette de nuit et prière faites, tante Lucie avait l'habitude de s'asseoir près du petit lit, et tenant la main de petite Pauline dans les siennes, endormait l'enfant en lui racontant *Cendrillon, la Belle au bois dormant, Petit-Poucet, la Lampe merveilleuse,* ou quelque autre histoire extraordinaire de belles princesses toutes rutilantes de pierreries, et traînées par des quadriges de gazelles aux cornes d'or, dans des carrosses en nacre de perle aux roues étincelantes de diamants et de rubis.

Ou bien, elle lui chantait, en imitant autant que possible l'accent gascon, la drolatique chanson de Nadaud :

Si la Garonne avait voulu,
Lanturlu...

La petite riait à gorge déployée, et s'endormait quelquefois en murmurant :

– La Galonne... Lantulu...

Mais ce soir-là, petite Pauline ne réclama ni le conte de tous les soirs, ni la chanson de Nadaud.

Elle avait, paraît-il, autre martel en tête.

Elle songeait, la petite Pauline, elle songeait... en entrouvrant le coin de l'œil de temps en temps pour voir si tante Lucie allait bientôt dormir de son côté.

Elle songeait sous ses rideaux, toute tressaillante comme une pauvre tourterelle inquiète, les yeux et les oreilles aux aguets, épiant – la petite espionne ! – je ne sais quel léger remue-ménage dont le bruit discret venait de la chambre à coucher de maman, voisine de celle de tante Lucie.

Enfin, tante Lucie dort. Une respiration plus longue et plus accentuée l'indique.

Tante Lucie dort ; et petite Pauline, qui s'en aperçoit, ouvre ses yeux tout grands, ébauche un malin sourire, et, pour mieux voir et entendre sans doute, en même temps que pour mieux résister au sommeil qui va la gagner elle aussi, elle dresse sa tête blonde, l'appuie gracieusement sur sa menotte potelée, et, le coude enfoncé dans l'oreiller, attend.

Qu'attend-elle ?

Tout à coup des pas furtifs se font entendre, ou plutôt se laissent deviner ; et petite Pauline, dont le cœur bat bien fort, se rejette précipitamment sous ses couvertures et se tapit dans la plume soyeuse et molle, les yeux bien clos et la bouche entrouverte par un soupir, comme un enfant qui dormirait les poings fermés depuis une heure.

Ah ! petite Pauline, petite Pauline, comme vous êtes hypocrite !...

Toute blanche et souriante, ainsi que ces fantômes charmants qu'on voit passer au fond des beaux rêves, la maman est entrée sur la pointe des pieds, regarde à droite et à gauche, jette un regard d'amour à la petite dormeuse, un coup d'œil de reconnaissance à la douce et bonne amie qui s'est faite l'ange gardien de son enfant, et puis, essuyant de la main une larme de bonheur qui a coulé sur sa joue, elle se penche un instant au-dessus des petits bas suspendus au pied du lit de petite Pauline...

Elle est partie maintenant, partie du côté du salon où se trouve la cheminée par où Santa Claus doit descendre ; et bientôt elle repasse, toute blanche et souriante, devant la porte de la chambre où petite Pauline regarde, toute blanche et souriante elle aussi, dans les vagues et transparentes lueurs de la veilleuse.

Et puis, la gracieuse chose !

Ah ! petite Pauline, vous êtes bien sournoise ! mais quel joli tableau vous faites ainsi dans cette demi-clarté, en descendant de votre lit, peureuse et tremblotante, seule, les yeux ouverts dans l'ombre de cette grande maison endormie !

Que fait-elle ?

Elle va déguster les bonbons que maman vient de glisser dans les petits bas, sans doute. Elle est trop impatiente ; elle n'attendra pas à demain pour admirer les jouets et la pimpante poupée sous lesquels ses souliers neufs doivent être ensevelis ; c'est tout naturel.

Mais non, pas cela.

Les bonbons, elle les regarde à peine.

Ils lui passent rapidement dans les mains ; pour aller où ?

Pas loin ; dans les bas de tante Lucie qui dort.

Le partage est vite fait. Petite Pauline ne prend pas la peine de compter ; et quand elle s'éveillera demain, tante Lucie n'aura pas à se plaindre de la part qui lui aura été faite.

Mais qu'est-ce encore ?

Petite Pauline, où allez-vous ?

N'avez-vous pas peur du loup en traversant ce salon sombre et silencieux ?

Oui, beaucoup ; elle tremble, tremble, la pauvrette ; mais elle le traverse tout de même ; et puis elle s'en revient, rapide, après s'être agenouillée un instant devant la cheminée toute noire.

Demain, tante Lucie trouvera, comme petite Pauline, des jouets et autres beaux cadeaux dans ses souliers.

Et petite Pauline va se recoucher tout doucement, très doucement, le cœur en joie, et s'endort le visage tourné vers celle qui pleurera demain en découvrant l'attendrissante fraude, la sainte supercherie de la petite héroïne qu'elle aime plus que la vie.

Et maintenant, petite Pauline, vous n'entendez point les volées de cloches sonores qui carillonnent dans la nuit !

Vous n'entendez ni les chants sacrés qui montent des sanctuaires illuminés, ni la voix des grandes orgues qui gronde et tonne sous les arceaux des voûtes solennelles !

Vous ne voyez pas – du fond de votre lit bien douillet – la foule pieuse qui s'agenouille autour de la crèche où l'Enfant-Dieu repose sur la paille froide.

Non, mais je suis bien sûr que les anges, qui vous ont vue faire, des hauteurs où ils chantaient : « Gloire à Dieu dans le ciel, et paix aux hommes de bonne volonté sur la terre ! » sont descendus vers vous aussi, petite Pauline, et se penchent en ce moment sur la blanche couche où vous dormez, pour vous baiser au front et bénir votre petit grand cœur.

La bûche de Noël

Grand'mère, un conte, dis !

– Un conte, grand-mère !

– Un conte de Noël !

– Le conte de l'homme dans la lune, tu nous l'as promis.

Et les mignonnes têtes blondes et les mignonnes têtes brunes, la bouche ouverte et les yeux éveillés, vinrent se grouper autour de la berceuse de grand-maman, qui, ses lunettes sur le nez, après avoir humé une légère prise de tabac d'Espagne, prit son tricot, jeta autour d'elle un coup d'œil circulaire qui amena un doux et bon sourire sur ses lèvres ridées, déposa son peloton de laine dans le tablier du plus petit, fit rapidement jouer ses aiguilles à tricoter au bout de ses longs doigts fuselés, puis commença d'une voix un peu chevrotante :

– C'était donc une fois, mes enfants...

Alors il y eut un remue-ménage dans tout le cercle des jeunes auditeurs. Chacun se trémoussa un peu sur sa chaise ; les plus grands toussèrent ; les plus attentifs se penchèrent en avant, les coudes sur les genoux et le menton dans les deux mains ; puis le silence se fit et chacun se mit à écouter de la bouche, des yeux et des oreilles.

– C'était donc une fois, mes enfants, reprit la bonne vieille en poursuivant son tricotage, un vieux château bien vieux, bien vieux, et aussi bien sombre et bien seul, bâti au flanc rocailleux d'un coteau couronné de grands chênes, et qui s'appelait le château de Kerfoël.

C'est-à-dire que c'était là son véritable nom, mais il était mieux connu dans le pays sous celui de la Tour-du-diable.

Et en effet, mes enfants, on prétendait que, dans les anciens temps, le diable avait établi, au fond d'une des chambres les plus élevées du donjon, une forge et des fourneaux où il fabriquait de l'or pour les propriétaires du domaine, qui lui appartenaient, par pacte authentique, de génération en génération.

Il fallait bien, du reste, que la richesse de ces mécréants eût une origine plus ou moins maudite, car, du haut des tourelles de leur repaire, on n'apercevait au loin que des landes desséchées, plantées par-ci par-là de grandes pierres fées, debout comme des hommes, et qui se nomment en Bretagne menhirs ou quenouilles de Satan.

Car il faut vous dire, mes enfants, que mon histoire se passe en terre de France, dans une contrée qu'on appelle la Bretagne, et qui était la patrie de la grand-mère de ma grand-mère à moi, avant que nos ancêtres fussent venus s'établir dans les pays d'Amérique.

Or, au temps dont je veux vous parler, le seigneur de Kerfoël, le propriétaire du château de la Tour-du-diable, avait nom Robert.

Il était infirme de naissance : bancal et pied-bot ; et cette difformité – qui ne l'empêchait pas d'être d'une force herculéenne – n'avait probablement pas été tout à fait étrangère à la réputation quasi diabolique qu'il s'était créée dès l'enfance par son tempérament incorrigible et son caractère de garnement sans foi ni loi.

Élevé comme un païen, il avait passé sa jeunesse à chasser, fêtes et dimanches, le sanglier dans les bois, à molester les pauvres paysans, à blasphémer le nom de Dieu, et à se livrer à toutes sortes de libertinages.

Jamais on ne le voyait à l'église ; jamais il ne se découvrait devant les calvaires qu'il rencontrait sur sa route ; il mangeait effrontément gras les vendredis, et ricanait sans vergogne aux enterrements.

D'aucuns prétendaient l'avoir vu, la nuit, courir les landes en claudicant sur son jarret tordu, avec les grandes pierres ensorcelées dont je parlais tout à l'heure et qui le suivaient comme des chiens, sans qu'on ait jamais pu savoir où ils allaient.

Bref, mes enfants, le comte Robert de Kerfoël était un vilain endurci ne craignant ni Dieu ni diable, se moquant des choses saintes, et qui, tout jeune encore, par sa conduite impie et sacrilège, avait fait mourir sa pauvre mère de chagrin.

Quant à son père, dont la vie n'avait guère été plus édifiante, il était mort aussi – mort sans confession, dans un carrefour de la forêt, où l'on avait trouvé son cadavre à moitié dévoré par les loups.

C'était bien mal finir, n'est-ce pas, mes enfants ; mais le fils devait avoir une fin encore plus triste, comme vous allez voir...

Nulle interruption ne se faisait entendre dans le petit groupe ; au contraire, pas un doigt ne remuait ; on buvait chaque parole, chaque syllabe, et l'attention semblait redoubler d'intensité à mesure que la bonne vieille avançait dans son récit.

Celle-ci fit une pause, plongea encore une fois le pouce et l'index dans sa tabatière d'argent niellé, promena de nouveau son regard souriant autour d'elle, et reprit la parole en même temps que son tricot dont les mailles se multipliaient, rapides et serrées, autour du losange formé par le croisement des longues broches luisantes :

– Vous avez tous vu l'homme dans la lune, n'est-ce pas, mes enfants ?

– Oui, oui, grand-maman.

– Un bonhomme boiteux.

– Qui descend une côte.

– Avec une botte de paille sur l'épaule.

– Non, un fagot !

– Une bûche, mes enfants, une bûche enflammée.

On l'aperçoit « tout à clair », dans les belles nuits lumineuses, quand les étoiles scintillent au firmament, et que la lune toute ronde promène son orbe d'argent entre nous et les profondeurs bleues ; dans les nuits sereines et froides de l'hiver – surtout dans la sainte nuit de Noël, quand l'Enfant-Jésus fait sa tournée pour mettre des bonbons et des jouets dans les souliers des petits enfants sages, quand les anges du bon Dieu accordent leurs voix lointaines aux cantiques des orgues, et que les grands vitraux illuminés des églises mêlent des reflets roses aux pâles lueurs qui descendent du ciel sur les collines toutes blanches de neige.

Vous l'avez vu, n'est-ce pas ?

– Oui, oui, grand-maman !

– Avec sa bûche sur l'épaule ?

– Oui, oui, et sa jambe toute croche.

– Bien ! écoutez maintenant.

Et le petit cercle se pelotonna de plus belle autour de la berceuse à grand-maman, qui continua :

En Bretagne – la vaillante terre de Bretagne – dans ce bon vieux pays de nos grands-grands-pères, mes enfants, on ne fête pas la Noël comme ici, où l'on se contente d'aller à la messe de Minuit, et de boire un doigt de liqueur en cassant les branches d'une croquignole saupoudrée de sucre blanc.

C'était la fête des paysans, la fête des pauvres, la fête des campagnes par excellence.

On se réunissait dans les châteaux et les grandes fermes ; et là, jeunesses et « bonnes gens » attendaient l'heure de la messe de Minuit dans des réjouissances de toutes sortes.

Il y avait d'abord ce qu'on appelait la bûche de Noël, un gros fragment de tronc d'arbre préparé et séché à l'avance, que l'on brûlait dans les monumentales cheminées de l'ancien temps, après l'avoir baptisé suivant la coutume, en y répandant une rasade du vin de l'année ; puis l'on chantait de vieux noëls, tout en trinquant et en croquant des nieulles.

Les nieulles, mes enfants, étaient une espèce de pâtisserie croustillante, réservée pour cette circonstance seulement. C'était le mets de rigueur pour la nuit de Noël.

On croquait donc des nieulles : *croquer nieulles*, vous entendez ? De là à nos *croquignoles*, vous voyez, mes enfants qu'il n'y a pas loin.

Et puis l'on dansait.

Ah ! dame, on n'avait point alors de beaux pianos comme aujourd'hui. Le violon n'avait même pas encore fait son apparition dans les campagnes bretonnes.

Point de valses, ni de quadrilles, ni même de cotillons.

Gars et fillettes dansaient la bourrée ou la carole au son du biniou, qui est un instrument composé d'un sac de cuir gonflé d'air, et de trois chalumeaux troués, – quelque chose ressemblant à ce qu'on appelle la *vèze*, dans les régiments écossais.

Point de parquets cirés non plus, mes enfants, ni tapis d'Orient, ni jolis escarpins.

Mais on ne s'en amusait pas moins, à ce que je présume ; et en tout cas, ce n'étaient point les *clic-clac* harmonieux des sabots de hêtre sur la sonorité des dalles qui devaient gâter la musique.

Enfin, que voulez-vous, chaque époque a ses divertissements, et chaque pays sa manière de s'amuser, n'est-ce pas ?

Vous sentez bien, mes enfants, que ce n'était pas au château de la Tour-du-diable que l'on célébrait ainsi la sainte fête de Noël du bon Dieu.

Ce soir-là, au contraire, les gens de service du comte Robert faisaient comme nous : ils se bornaient à se rendre à l'église pour y adorer le divin Enfant dans sa crèche ; et puis ils s'en revenaient en silence se ranger autour de l'âtre, où le vieux garde-chasse Le Goffic racontait, comme les grand-mamans d'aujourd'hui, des histoires d'autrefois, ou fredonnait – bien bas, afin de n'être pas entendu par le maître – quelque refrain rustique et pieux du temps passé.

Et c'était ainsi d'une saison à l'autre, les jours se succédant dans la tristesse et la crainte, sans un moment de gaieté, sans une échappée de joyeuse vie.

Un matin, il advint que le comte Robert manda son intendant, Yvon Keroak, et s'entretint longtemps avec lui ; puis il fit seller son meilleur destrier – c'est ainsi qu'on appelait les chevaux de selle dans ce temps-là, mes enfants – et, une lourde sacoche de voyage bien bouclée en groupe, partit sans dire un mot de plus à âme qui vive.

Où alla-t-il ?

Personne ne le sut.

Les mois s'ajoutèrent aux semaines et les années aux mois, sans qu'on en eût « ni vent ni nouvelle ».

Après un certain temps, on le crut, naturellement, passé de vie à trépas, et chacun se faisait du pouce un petit signe de croix sur la poitrine au seul nom du seigneur de Kerfoël, à qui il devait sans doute être arrivé malheur, et qu'on ne reverrait certainement jamais en ce monde, et, s'il plaisait à Dieu, encore moins dans l'autre.

Vingt ans s'étaient écoulés.

L'intendant, la femme de charge et les autres domestiques avaient vieilli ; le vieux garde-chasse passait quatre-vingts ans ; et tout le monde s'étant habitué à l'idée que l'absent ne reviendrait jamais, une vie plus douce et plus gaie s'était introduite petit à petit, sinon sous les hauts lambris armoriés du manoir, au moins sous les plafonds à caissons de la grande salle commune, où les paysans et les pasteurs des environs venaient quelquefois se goberger les jours de fête et de chômage.

En somme, grâce à cette disparition prolongée du comte Robert, on avait fini par vivre tranquille et heureux au château de la Tour-du-diable, et par s'y ébaudir à l'occasion tout autant qu'ailleurs.

Quand arrivait la nuit de Noël surtout, c'était, comme on disait dans le temps, chère lie et grande liesse à l'ombre du vieux donjon, qui n'eût pas manqué de se faire à la longue une réputation plus chrétienne, si l'événement tragique que je vais vous raconter, mes enfants, n'était pas venu ajouter sa page fantastique aux anciennes légendes.

Une année, le personnel du château s'était promis de fêter la vigile de Noël avec un éclat tout à fait inaccoutumé.

Une robuste bille taillée dans un chêne du parc avait été préparée de longue main pour la traditionnelle cérémonie nocturne ; et dès huit heures du soir, tout le voisinage, le joueur de biniou en tête, se pressait dans la vaste salle commune du château, tout illuminée par les torches de résine et la chaude flambée qui pétillait déjà sous la bûche de Noël carrément installée au beau milieu de l'âtre.

Le cidre mousseux circulait à la ronde, stimulant les gais propos et faisant éclater les rires dans les groupes joyeusement éclairés ; et chacun vidait sa lampée au train-train des gobelets rustiques soutenu par les notes nasillardes et prolongées du biniou.

Tout à coup :

– Noël ! noël !... crièrent toutes les voix dans une acclamation enthousiaste qui fit tinter les vieilles ogives aux vitres coloriées et maillées de plomb.

La bûche de Noël venait de s'enflammer en craquetant et en lançant de tous côtés des fusées d'étincelles.

– Le baptême ! le baptême ! fit-on de toutes parts.

– Père Le Goffic, à vous les honneurs !

– À vous de baptiser la bûche de Noël, père Le Goffic !

– Père Le Goffic ! père Le Goffic !

Et tout le monde mit un genou en terre, pendant que le vieux garde-chasse, le front découvert, s'avançait vers la grande cheminée dont les lueurs radiaient en auréole autour de ses longues mèches blanches, et découpaient, comme sur un fond d'or, la stature majestueuse et solennelle du vieillard.

– *Au nom du Père et du Fils et du Saint-Esprit !* fit celui-ci d'un ton grave et recueilli, en même temps que sa vieille main noueuse et tremblante laissait tomber un filet de rubis sur le lourd quartier de chêne mordu par la flamme.

Les assistants n'eurent pas le temps de répondre : *Ainsi soit-il !*

Une bouffée d'air glacial venait de secouer furieusement les flammèches du foyer, et, dans l'encadrement noir de la porte ouverte, venait d'apparaître, vieillie mais toujours menaçante, la silhouette difforme du comte Robert de Kerfoël.

Tout le monde se leva muet et terrifié.

Après un instant de silence mortel, celui qui venait d'entrer promena un regard féroce autour de lui, et, l'épée à la main, s'avança vers la cheminée au milieu des paysans atterrés.

– Par la mort-dieu ! s'écria-t-il d'une voix tonnante et rogue, depuis quand ma demeure sert-elle de théâtre à ces momeries ridicules, à ces simagrées stupides ? Joël, ajouta-t-il en s'adressant à son ancien valet de pied, et en lui désignant du doigt le brasier flambant, je t'ordonne de jeter au vent cet emblème d'une superstition maudite !

Une exclamation de terreur se fit entendre.

– La bûche de Noël !

– Oui, la bûche de Noël, hors d'ici ! Tu m'entends, Joël !

– Seigneur comte, répondit Joël en s'agenouillant tout tremblant, la bûche de Noël est bénite ; mieux vaut trépasser de malemort que d'y porter la main.

Le comte Robert écumait de rage.

– Par l'enfer ! hurla-t-il en se tournant vers son intendant qu'il venait d'entrevoir parmi la foule, qui donc commande ici, Yvon Keroak ?

– Seigneur comte, répondit l'intendant, la bûche de Noël est consacrée : ce serait un crime d'y toucher.

– Un sacrilège ! appuyèrent tous les assistants.

Alors l'exaspération du mécréant ne connut plus de bornes.

– Tourbe d'imbéciles ! cria-t-il.

Puis il saisit deux pichets de cidre qu'il vida sur la bûche flamboyante, tira de ses propres mains celle-ci hors du foyer, et, toute brûlante encore, entreprit de la charger sur ses épaules, sans s'occuper des tisons qui faisaient grésiller sa chair ni des étincelles qui crépitaient dans ses cheveux.

– Seigneur comte, supplia le vieux garde-chasse tout tremblant, la bûche de Noël a reçu le baptême, craignez la main de Dieu, seigneur comte !

– Malheur !... firent toutes les voix, au moment où, clampinant d'une façon sinistre, et le dos courbé sous le faix de l'énorme bûche fumante, le comte Robert franchissait la seuil de la porte et disparaissait en blasphémant dans la nuit.

– À genoux ! fit le vieux Le Goffic.

Mais il était trop tard ; un cri de détresse qui n'avait rien d'humain déchira l'air au dehors et fit dresser les cheveux d'épouvante à tous les témoins de la terrible scène.

Et jamais plus on ne revit le comte Robert, seigneur de Kerfoël, dernier châtelain de la Tour-du-diable.

C'est depuis ce soir-là, mes enfants, que, dans les temps clairs, on aperçoit sur le disque resplendissant de la lune, un homme au genou disloqué, qui paraît marcher péniblement, courbé sous le poids d'un fardeau bizarre, où ceux qui ont de bons yeux reconnaissent comme une espèce de bûche à moitié calcinée et qui flambe encore par-ci par-là.

La narratrice réajusta ses lunettes, puisa de nouveau dans sa vieille tabatière d'argent niellé, toussa légèrement derrière son tricot, jeta un autre regard caressant aux mignonnes têtes blondes et brunes qui l'entouraient, et ajouta sur un ton de conclusion finale :

– On dit, mes enfants, que le malheureux a été condamné à porter ainsi la bûche de Noël sur ses épaules jusqu'au jour du jugement dernier.

– Et c'est lui qu'on voit dans la lune, grand-maman ?

– À ce qu'on dit, mes enfants.

– Avec la bûche de Noël ?

– Oui, mes enfants.

– Et sa jambe torse ?

– Et son pied-bot.

– Bien vraie, cette histoire-là ? demanda l'un des petits qui avaient écouté le plus attentivement et avec de plus grands yeux.

– Bah ! fit l'aînée des fillettes, une histoire de fées !

– Ah ! dame, mes enfants, dit en souriant la bonne grand-mère, vous m'avez demandé un conte de Noël, je vous ai répété ce qui me fut raconté quand j'étais petite : à votre tour, vous pourrez en faire autant quand vous serez vieux, vous croira qui voudra !

Jeannette

Petite Jeannette, une grosse boulotte ronde et dodue, aux fossettes provocantes, aux yeux noirs et défiants, avait d'abord – oh ! tout de suite, presque en naissant – pris son père en grippe.

Quand il s'inclinait sur le berceau un baiser aux lèvres, elle ébauchait une grimace de dépit ; et, s'il lui ouvrait les bras, elle se retournait vers sa mère, les deux mains tendues comme pour implorer secours.

Une circonstance pénible vint changer la face des choses.

Jeannette tomba malade.

Durant plusieurs jours une fièvre dévorante creusa ses joues, abattit son regard, rongea pour ainsi dire ses pauvres petits membres amaigris et grelottants.

Le papa faisait de son mieux pour relever le courage de la maman au désespoir ; et quand celle-ci, accablée de fatigue, prenait quelque repos, il s'asseyait à son tour au chevet de la petite, et, penché sur elle, les yeux rougis, morne, le cœur gonflé, s'accusant de son impuissance, il regardait souffrir l'enfant pour la santé de qui il aurait volontiers mille fois donné la sienne.

Un matin, Jeannette ouvrit les yeux au moment où une grosse larme tombait sur sa pauvre menotte pâle et inerte.

Elle eut la force de tourner la tête vers son père, et alors s'échangea entre ces deux êtres si différents d'âge un de ces regards qui ne s'oublient jamais, et par lesquels s'effectue quelquefois cette transfusion d'âmes que peuvent seules comprendre les natures faites pour aimer éperdument.

Le père avait conquis le cœur de son enfant ; l'enfant avait deviné et sondé celui de son père.

La convalescence est rapide chez les petits.

La chère malade se rattacha à la vie. Ses joues refleurirent, ses grands yeux veloutés reprirent leur éclat d'autrefois, les jolies fossettes se creusèrent de nouveau comme des nids de baisers, les lèvres longtemps muettes et blêmies retrouvèrent leur sourire, leurs couleurs et leurs notes argentines.

La maison redevint sonore comme une matinée de printemps, et gaie comme un rayon de soleil.

Toute une révolution s'était faite dans le caractère de Jeannette.

Elle adorait son père.

Elle n'était jamais plus heureuse que sur les genoux du papa, lui tirant la barbe, lui chatouillant le cou, le taquinant de mille caresses câlines, avec un interminable gazouillis de pinsons en maraude.

Et le papa, lui, n'avait jamais été plus rayonnant que lorsqu'il berçait la petite espiègle dans ses bras en lui contant les aventures de Petit-Poucet, ou en lui chantant quelque ballade du temps passé.

Mais tout cela, c'est de la digression.

Jeannette avait grandi. Elle avait maintenant quatre ans bien comptés, et l'affection qu'elle avait vouée à son père ne diminuait pas.

Au contraire, la petite était devenu son inséparable ; et tant qu'il était à la maison, elle l'étourdissait, ou plutôt le ravissait de son babil, lui racontant mille riens adorables et lui posant mille questions auxquelles le bon papa répondait avec une complaisance imperturbable.

Aux approches de Noël, fête si impatiemment attendue par les petits enfants, la conversation entre parents et bébés roulent assez naturellement sur les cadeaux dont cette fête est presque toujours le signal dans les familles à l'aise.

C'était là une des grandes préoccupations de Jeannette.

Or, l'avant-veille de la fête, comme le dîner de famille tirait à sa fin, elle devint tout à coup pensive.

Et, après un moment de réflexion, pendant lequel la courbe harmonieuse de ses sourcils s'était légèrement froncée sous l'effort d'une idée confuse, elle s'écria brusquement :

– Dis, papa, c'est le Petit-Jésus ou bien Santa Claus qui descend dans les cheminées pour mettre des cadeaux dans les souliers des enfants qui ont été sages ?

– Pourquoi me demandes-tu cela ?

– Dame, il y en a qui disent que c'est Santa Claus, et d'autres qui disent que c'est le Petit-Jésus.

– Ils viennent tous les deux, mignonne ; chacun son tour... chacun son année.

– Et cette année, c'est le tour... ?

– Au Petit-Jésus.

Et comme l'enfant lançait une exclamation de joie en battant des mains :

– Tu es contente ? ajouta le père.

– Oh ! oui !

– Tu aimes mieux le Petit-Jésus que Santa Claus ?

– Bien sûr !

– Pourquoi donc ?

– Parce que...

Et Jeannette mit le bout de son doigt dans sa bouche avec une petite moue délicieusement mécontente.

– Pourquoi, dis ! insista le père ; Santa Claus t'a apporté de beaux jouets l'an passé.

– Oui.

– Avec une belle grosse poupée.

– Oui.

– Alors pourquoi ne l'aimes-tu pas ?

– C'est que... il n'est pas bon pour tout le monde.

– Il n'est pas bon pour tout le monde ?

– Non, il n'aime pas les petits enfants pauvres ; il ne leur donne rien.

– Es-tu sûr de ce que tu dis là ? Santa Claus ne donne rien aux petits enfants pauvres ?

– Oui, Rosina me l'a dit.

– Qui ça, Rosina ?

– La petite fille à la blanchisseuse. Je lui ai demandé si elle mettrait ses souliers dans la cheminée demain soir. Elle m'a répondu qu'elle les avait mis l'année dernière, mais qu'elle n'avait rien trouvé dedans, bien qu'elle eût été très sage. Sa mère dit que Santa

Claus ne va jamais que chez les gens riches. Mais puisque c'est le Petit-Jésus qui passe cette année, je vais dire à Rosina d'essayer encore une fois. Le Petit-Jésus doit aimer les pauvres gens comme les autres, lui, puisqu'il a été pauvre lui-même.

– Mais es-tu certaine qu'il ira ?

Jeannette resta quelque peu interloquée ; mais après un instant de méditation :

– Oui, répondit-elle, il ira ! Je vais le prier fort, fort, et bien sûr qu'il ne me refusera point.

Une heure après, douillettement enveloppée dans sa robe de nuit toute blanche et toute fraîche, son menton rose appuyé sur ses deux mains pieusement jointes, et les genoux enfoncés dans les longs poils soyeux de sa descente de lit en peau de lama, Jeannette pria comme un petit ange du bon Dieu qu'elle était ; puis, pendant que la maman lui donnait le baiser du soir et bordait chaudement les couvertures de la couchette, le nom de Rosina passa comme un souffle sur les lèvres de l'enfant endormie.

Oh ! les beaux rêves de l'innocence qui dort !

Quel poète dira jamais les visions mystérieuses, les musiques célestes, les bercements d'élyséenne poésie qui font sourire ces petites têtes blondes ou brunes, aux yeux fermés, à moitié enfouies dans le duvet des chauds oreillers blancs !

Ne sont-elles pas le vague ressouvenir des enchantements divins que ces doux anges ont quittés pour venir ici-bas nous consoler de vieillir ?...

Quand le soleil du matin vint teinter de rose la fenêtre de la chambre où elle dormait, Jeannette se leva toute songeuse.

Les dernières paroles de son père, « es-tu bien certaine qu'il ira ? », lui revenaient à la mémoire, et l'enfant commençait à ne plus être aussi sûre de l'efficacité de sa prière.

– Il pourrait bien ne pas y aller tout de même ! se disait-elle.

Et cette supposition l'attristait jusqu'aux larmes.

– Qu'as-tu donc ce matin, ma Jeannette ? fit le papa ; tu n'es pas aussi gaie que d'habitude. Tu ne songes donc point que c'est ce soir la nuit de Noël, et que demain matin, puisque tu as été sage, tes petits souliers, et même tes petits bas peut-être, regorgeront de jolies choses ?

Jeannette sourit, mais elle resta pensive.

– Papa, fit-elle, tout à coup ravisée, si je savais écrire... Mais je ne sais que signer mon nom.

– Que ferais-tu, si tu savais écrire ?

– J'écrirais une lettre.

– À qui ?

– Au Petit-Jésus, donc !

– Eh bien, ma chérie, dis-moi ce que tu veux lui dire, au Petit-Jésus ; j'écrirai pour toi, et tu signeras.

– Vrai ?

– Tout de suite, si tu veux.

– Et ce sera la même chose ?

– Exactement la même chose.

– Oh ! cher bon petit papa !...

Et la fillette sauta au cou du petit papa, lequel, un instant après, était assis à son pupitre, écrivant la lettre suivante dictée mot pour mot par son enfant gâtée :

Cher Petit-Jésus,

C'est demain la fête de Noël, et comme j'ai été bien sage, je mets, comme les autres petits enfants, mes souliers dans la cheminée à papa. Mais je ne veux pas de cadeaux ; donne-moi seulement ton portrait. Les cadeaux tu les porteras à Rosina qui est sage, elle aussi, mais dont la mère est veuve et pauvre. Quant à moi, papa et maman me donneront des étrennes au jour de l'An...

Ici Jeannette sursauta.

Une grosse larme, semblable à celle qui l'avait éveillée un jour en tombant sur sa petite main malade, venait de mouiller le papier où les doigts fébriles du papa avaient peine à suivre les lignes du transparent.

– Pourquoi que tu pleures ? dit-elle en passant son bras potelé autour du cou de son père, et en le regardant tendrement dans les yeux.

Celui-ci, trop ému pour répondre, prit son enfant dans ses bras, la pressa violemment contre sa poitrine, l'enveloppa d'une immense caresse folle, et, longtemps, longtemps, longtemps, contempla jalousement son trésor à travers les pleurs de bonheur et d'amour qui lui emplissaient les paupières.

Quand la petite eut griffonné son nom au bas de sa touchante lettre au Petit-Jésus, il se leva, marcha de long en large durant quelques instants pour se remettre ; puis, le dos tourné, il s'arrêta devant la fenêtre de son cabinet, le regard plongé dans l'azur éclatant du beau ciel de décembre ; et la maman qui entrait – tendrement aimée, elle aussi – l'entendit murmurer :

– Pourvu que le bon Dieu ne nous l'enlève pas !...

Le soir arrivé, la naïve missive, soigneusement adressée, reposait dans le petit soulier glissé derrière les chenets ; et Jeannette, comme la veille, après avoir fait sa prière, s'endormait doucement dans ses dentelles blanches pour rêver du Petit-Jésus, des anges et du paradis.

Non loin de là, dans un autre logis, bien humble et bien dénudé, dès les premières lueurs de l'aurore, une petite pauvresse – qui accompagnait quelquefois sa mère lorsque celle-ci apportait du linge chez les parents de Jeannette – la petite Rosina, si chaudement recommandée dans la lettre au Petit-Jésus, avait une grande surprise et une grande joie.

Elle apportait, toute rayonnante, au lit de sa mère une poupée rose et blonde en grande toilette.

Ses vieux souliers tout éculés avaient disparu pour faire place dans le coin de la cheminée à de chaudes et élégantes bottines toutes neuves, au fond de chacune desquelles reluisait une pièce d'or.

Inutile de dire que, sur recommandation toute spéciale de la mère, la première visite de l'enfant fut pour Jeannette.

– Moi, fit celle-ci, je n'ai pas eu de poupée, ni de bottines neuves, ni de pièces d'or, mais j'ai eu plus que tout cela. Le Petit-Jésus m'a donné son portrait, tiens !

Et elle courut chercher une jolie chromolithographie très

brillamment festonnée d'arabesques dorées, représentant l'Enfant divin dans sa crèche, et portant au dos ces mots écrits en ronde superbe :

À ma chère Jeannette,
avec les compliments du Petit-Jésus.

– Ça vient de lui ?

– Oui, je l'ai trouvé dans mon soulier.

– Oh ! qu'il est beau ! fit Rosina enthousiasmée.

– N'est-ce pas, qu'il est beau ! appuya Jeannette.

– Et comme il écrit bien !

– Oui, il écrit comme Marius.

Par parenthèse, Marius était le valet de chambre, un brave garçon au talent calligraphique de qui le papa avait souvent recours, quand il avait quelque écriture soignée à faire exécuter.

Non, Jeannette n'eut pas d'autres cadeaux de Noël, cette année-là ; mais elle ne perdit rien pour attendre, car le papa et la maman prirent royalement leur revanche au jour des étrennes...

Jeannette a maintenant dix-neuf ans. C'est une belle grande brunette qui a fait son début dans le monde au dernier bal de la Sainte-Catherine, et qui chérit toujours son père comme autrefois.

Tout dernièrement, elle ouvrait un gracieux coffret en présence d'une de ses amies.

– Tiens, lui dit-elle, voici une image que je conserve depuis l'âge de quatre ans.

– Vraiment ! oh, le bel Enfant-Jésus !

– N'est-ce pas ?

– Pourquoi n'exposes-tu pas ce petit bijou avec tes autres bibelots ?

– Ah ! c'est que... vois-tu... répondit la jeune fille en hésitant, je ne sais pas pourquoi, mais chaque fois que père le regarde, on dirait que ça lui donne envie de pleurer.

La tête à Pitre

I

Les passagers qui, aujourd'hui, font le trajet entre Québec et Lévis, en hiver, dans l'entrepont confortable des puissants bateaux à hélice qui se croisent d'une rive à l'autre en quelques minutes, coupant, brisant, refoulant, bousculant des monceaux de glaçons charriés par la marée, et filant droit à travers le chasse-neige et les brouillards secoués par la rafale, ne se doutent guère de ce que c'était que la traversée du Saint-Laurent autrefois, surtout par les « gros temps » de décembre et de janvier.

Le voyage se faisait en canots.

Ces canots étaient des espèces de pirogues creusées dans un double tronc d'arbre, dont chaque partie était solidement reliée à l'autre par une quille plate, en bois de chêne polie et relevée aux deux extrémités, de manière que l'embarcation pût, au besoin, servir aussi de traîneau.

Le patron s'asseyait à l'arrière sur une petite élévation d'où il dirigeait la manœuvre et gouvernait à l'aide d'une pagaie spéciale, tandis qu'à l'avant, et quelquefois debout sur la *pince* – on appelait *pince* le prolongement effilé de la proue – un autre hardi gaillard scrutait les passes et surveillait les impasses, la main sur les yeux, tout blanc de givre, avec des stalactites glacées jusque dans les cheveux.

En avant du pilote, un certain espace était ménagé pour les passagers, assis à plat-fond, tout emmitouflées et recouverts de peaux de buffles, encaqués comme des sardines, parfaitement à l'abri du froid, mais aussi condamnés à une immobilité presque complète.

Les autres parties de l'embarcation étaient garnies de tôtes, qui, tout en assurant la solidité du canot, servaient de bancs aux rameurs à longues bottes et aux costumes plus ou moins hétéroclites, qui pagayaient en cadence, s'encourageant mutuellement du geste et de la voix.

Le métier n'était pas tendre ; et comme les hivers de ce temps-là dépassaient de beaucoup les nôtres en rigueur, il devenait quelquefois dangereux.

Chaque mise à l'eau, c'est-à-dire chaque départ, donnait infailliblement des émotions aux plus hardis, et même à ceux qui y étaient le plus habitués.

Quand on se voyait lancé du haut de la *batture* – en termes canadiens on appelle *battures* ou *bordages* les bancs de glace adhérant au rivage, et contre lesquels glissent ou se brisent les banquises emportées par le courant – quand on se voyait, dis-je, lancé du haut de la batture dans les eaux noires et bouillonnantes du fleuve, l'équipage sautant précipitamment à bord dans un enchevêtrement éperdu de mains et de bras accrochés aux flancs bondissants de la pirogue, cela ne durait que l'espace d'un clin d'œil, mais c'était plus fort que soi, le cœur vous tressautait dans la poitrine.

Et nage, compagnons !... Haut les cœurs ! les petits cœurs !

D'immenses blocs verdâtres barrent la route : vite, le cap dessus ! Bon là ! Lâchons l'aviron, l'épaule aux toulines, et en avant sur la surface solide du grand fleuve !

Plus loin, ce sont d'énormes fragments entassés et bousculés les uns sur les autres. Le passage semble impraticable... N'importe, hissons le canot à force de bras : et en avant toujours !

Voici un ravin qui se creuse, descendons-y ! C'est un abîme peut-être : en avant quand même !

La neige détrempée s'attache et se congèle aux flancs de l'embarcation qu'elle menace d'immobiliser : hardi, les braves ! Pas une minute à perdre, roulons, roulons ! Et nous voilà repartis.

Ici, c'est autre chose : tout s'effondre sous nous. Ce n'est plus de l'eau, ce n'est plus de la glace ; impossible de pagayer, plus de point d'appui pour hâler. Il faut pourtant se tirer de là, les enfants !

À bord, vous êtes paralysé ; en dehors, vous enfoncez à mi-jambe dans la neige fondante et la glace en *frasil* ; il n'y a pas à dire, il faut se tirer de là.

Et cela durait des heures, quelquefois des journées entières...

Oh non ! il n'était pas tendre, le métier. Victor Hugo a raconté les « travailleurs de la mer » d'une façon sublime ; que n'a-t-il vu les canotiers du Saint-Laurent à l'œuvre !

II

Il y a de cela une quarantaine d'années, je me trouvais à Lévis, en compagnie d'un jeune couple de nouveau mariés de la Floride, qui avaient montré assez d'originalité d'esprit pour entreprendre un voyage de noces à travers le Bas-Canada en plein hiver.

Pour des arrivants du pays des magnolias, où les oranges mûrissent en janvier, la nouveauté du spectacle ne manquait pas d'attrait, comme on le pense bien.

Aussi les jeunes voyageurs étaient-ils déterminés à en jouir avec tout le raffinement possible. Et, pour démontrer que leur itinéraire avait été tracé avec l'intelligence sagace de deux amoureux en quête de pittoresque et d'émotions délicates, il me suffira d'ajouter que la visite de Québec et de ses environs par la fin de décembre, la messe de Minuit dans la vieille cathédrale historique, et le passage du Saint-Laurent à travers les banquises, au clair de la lune, se distinguaient parmi les principaux articles du programme.

Ils étaient donc arrivés à Lévis précisément la veille de Noël au matin, par la voie du Grand-Tronc ; et à seule fin d'attendre la nuit, ils avaient passé la journée à l'hôtel Victoria, où – ancienne connaissance du mari – j'étais allé les joindre, pour le plaisir de me faire un peu leur cicérone.

Dans la soirée, nous nous préparâmes pour la traversée, et nous nous rendîmes au « Passage », c'est-à-dire à l'endroit où les canotiers tenaient leurs quartiers ordinaires à l'affût des voyageurs.

– J'avons un beau clair de lune, c'est vrai, nous dit l'un d'eux, mais ça pince dur et ça charrie, allez ! Si vous voulez pas courir le risque de coucher sur les battures de Beaumont, vous ferez ben de pas vous risquer dans les glaces avant une couple d'heures d'icitte. Y a pas un canot pour attraper la Pointe-à-Puyseaux par ce courant-là. Le père Baron lui-même voudrait pas l'entreprendre.

– Où est-il, le père Baron ?

– Chez le bonhomme Vien, après fumer sa pipe. Il vous traversera pas plus qu'un autre avant onze heures, onze heures et demie, prenez-en ma parole. Vous pouvez entrer vous chauffer avec la petite dame, en attendant la fin du baissant. À la mer étale, je m'engage à vous débarquer dans l'anse du Cul-de-sac, en criant :

Ciseaux !

– Eh bien, dis-je à mes deux jeunes amis, attendez-moi ici quelques instants, je vais consulter le père Baron ; c'est le patriarche du canton et l'oracle en pareille matière.

– Nous irons avec vous, fit la jeune femme.

– Mais, Madame, je ne vais pas dans un salon, je vous en avertis.

– Qu'est-ce que cela fait ? Ce n'est pas pour avoir mes aises que je désire traverser le Saint-Laurent par cette nuit glaciale.

– Mais, ces gens fument comme des volcans, vous allez être asphyxiée.

– Ça ne peut être pire que dans les cases de nos nègres, je présume.

– Ah ! pour ça, non.

– Eh bien, marchons ; je voyage non seulement pour voir du pays, mais aussi pour faire des études de mœurs.

– Alors soit ; du reste, vous ne verrez que de braves gens, un peu rustiques dans leurs manières, mais le cœur sur la main.

Je connaissais la maison du père Vien. Nous entrâmes, « sans cogner », suivant l'habitude et l'expression locales, et nous nous trouvâmes de plein pied dans un rez-de-chaussée d'une seule pièce, tout autour de laquelle circulait une rangée de bancs de bois accolés à la muraille.

Sur ces bancs, les jambes croisées ou les coudes aux genoux, une vingtaine de canotiers fumaient tranquillement leurs pipes culottées, en échangeant quelques mots par-ci par-là avec indifférence et bonhomie.

D'autres, plus récemment arrivés du dehors, la glace aux semelles et le givre aux moustaches, faisaient sécher leurs mitaines de cuir, en tapant du pied autour d'un lourd poêle de fonte à deux étages – à deux « ponts », comme on disait alors – qui bourdonnait au centre de la salle, solidement campé sur ses quatre pieds en pattes de lion.

Tous ces hommes, à la mise plus ou moins négligée, portaient pour la plupart une chemise de flanelle grise ou rouge sous un veston de bouracan, de cordelat ou d'étoffe « du pays », solidement retenu autour des reins par une ceinture en laine de couleur voyante. Un bonnet de fourrure leur descendait sur les yeux ; leurs pantalons, bien ficelés dans de longues tiges de bottes mocassines, étaient retenues à la hanche par une forte courroie bouclée, la bretelle gênant les épaules pour le maniement de la pagaie.

Il y avait là des jeunes, des vieux, barbes noires et barbes grises, à peine distincts dans la lueur douteuse des chandelles de suif que des appliques en fer-blanc retenaient aux murs, et qui ne se laissaient elles-mêmes entrevoir que vaguement à travers la fumée des pipes et la buée qui montait des vêtements mal séchés.

Deux passagers, assis dans un coin, attendaient comme nous l'heure propice à l'embarquement.

À notre aspect, le silence se fit, et les fronts se découvrirent – car la politesse est traditionnelle chez le Canadien, quel que soit le niveau de sa condition.

– Entrez, la petite dame ; entrez, ces messieurs ! fit le maître de la maison en venant au-devant de nous. Entrez vous asseoir. Vous voudriez traverser, sans doute ?

– Oui, monsieur Vien, et tout de suite, s'il y a moyen. Qu'en dites-vous, père Baron ?

– Y a toujours moyen de tenter le bon Dieu, répondit sentencieusement un grand vieillard à tête blanche et à figure honnête, qui fumait son brûle-gueule un peu à l'écart assis sur la seule chaise qu'il y eût dans la pièce ; y a toujours moyen de tenter le bon Dieu, mais ça porte pas chance.

– Vous croyez donc qu'il y a du danger ?

– Y a au moins le danger de passer la nuit sur la glace ; et avec une créature, c'est pas commode.

– Vous pouvez vous en rapporter au père Baron, intervint celui qui nous avait introduits, c'est ben rare qu'il donne un mauvais conseil.

– Ça, c'est vrai, fit un autre des fumeurs ; si ce pauvre Sanschagrin l'avait écouté l'année dernière, c'est tout probable qu'il serait encore de ce monde.

Je me rappelai un triste accident qui avait eu lieu l'année précédente, et dans lequel un citoyen bien connu de Lévis avait trouvé la mort en compagnie de deux autres passagers de la Beauce.

– Dame, fit un des canotiers, qui n'avait pas encore pris la parole – un homme de sombre apparence et à longue barbe noire – il avait vu la tête à Pitre, vous comprenez. Et quand on a vu la tête à Pitre...

– Il faut périr dans l'année, appuya un autre canotier.

– Ma foi du bon Dieu ! si j'avais le malheur de voir ça, moi, j'embarquerais pas dans un canot ni pour or ni pour argent ! fit une voix.

– Et moi, c'est pas pour mille piastres que je voudrais toucher à un aviron, ma grand-conscience ! fit un autre.

– Ah ! ni moi, sapristi ! s'écrièrent tous les voisins.

– Une légende ? me dit tout bas la femme de mon ami, à laquelle le père Baron avait courtoisement cédé l'unique chaise de céans, une légende ? Ah ! mais, c'est délicieux. Faites-leur conter cela, je vous prie.

– Qu'est-ce que vous entendez par « la tête à Pitre » ? demandai-je à celui qui le premier, avait fait allusion à la chose.

– Le père Baron peut vous raconter ça mieux que moi, répondit l'homme sombre, ça s'est passé de son temps.

– Ah ! pour le sûr, dit le père Vien, que l'ami Baron a ben connu Pitre Soulard ; moi aussi d'ailleurs. Un jeune homme comme il faut, mais malchanceux.

– Oui, dit le père Baron, ça devait finir mal. S'il était malchanceux, il était ben imprudent étout, le pauvre diable. J'ai pour mon dire, les enfants, que c'est ben superbe d'être brave, mais il faut pas tenter le bon Dieu. On se repent jamais d'avoir trop pris de précautions, on a du regret souvent d'en avoir pas pris assez. C'est pas pour me vanter, mais j'ai fait la traversée de Québec en canot, de l'automne au printemps, qu'il fit beau, qu'il fit mauvais, pour ainsi dire tous les jours de ma vie, et jamais, au grand jamais il m'est arrivé gros comme ça d'accident. Pourquoi ? Parce que j'ai jamais fait le fanfaron, et que j'ai toujours détesté les bravades. Je me laissais pas effrayer pour des riens, non ! Mais j'ai jamais eu honte de reculer devant le péril. Sa vie à soi on en fait ce qu'on veut, c'pas, quand on n'est pas trop craignant Dieu ; mais la vie des autres, faut pas jouer avec. Malheureusement, le pauvre Pitre Soulard, lui, était plus courageux que prudent. Il aimait mieux courir tous les risques, plutôt que de passer pour avoir eu peur.

Et le père Baron, entraîné par ses souvenirs et les rétrospections enthousiastes du vieux métier, nous raconta l'histoire de Pitre Soulard.

III

Cette histoire nous reporte au mois de janvier 1844.

L'hiver avait été exceptionnellement rigoureux. Des vents de nord-est presque ininterrompus avaient déchaîné sur la région de Québec tourmente sur tourmente, en avalanches de grêle et de neige aveuglante, qui rendaient la traversée du fleuve très difficile, et quelquefois impraticable.

Le fleuve charriait du matin au soir et du soir au matin des montagnes de glace qui se brisaient sur l'angle des quais avec un bruit lugubre.

Ce n'était qu'à de rares intervalles que le regard pouvait atteindre d'une rive à l'autre à travers les grands brouillards tourmentés par la bourrasque.

Chacun disait, en s'abritant de son mieux contre le froid, la neige et le vent :

– Quel temps, mon Dieu, quel temps !

Mais c'était surtout pour les pauvres canotiers que la vie était dure. Quand ils partaient le matin, ils n'étaient pas toujours certains de rentrer au logis le soir.

Un jour, cependant, le soleil s'était levé sur un horizon clair et calme. Le froid était vif, mais sec. On entendait au loin craquer les banquises, la neige durcie criait sous le pas des piétons, mais le ciel flamboyait, limpide et transparent comme du cristal de roche.

La glace avait tellement afflué durant la nuit qu'elle s'était solidifiée tout à coup, en fermant l'issue du bassin de Québec, à l'endroit où le fleuve se resserre brusquement entre la Pointe-Lévis et l'extrémité sud-ouest de l'île d'Orléans. En d'autres termes et pour parler le langage technique « le pont était pris à la clef ».

Or, quand le pont est pris à la clef, le reste des glaces flottantes qui dévalent d'en amont n'en suivent pas moins le flux et le reflux de la marée, c'est-à-dire que le flot les repousse à plusieurs milles au-dessus de la ville, jusqu'à ce que le jusant les ramène se heurter contre la formidable barrière.

C'est ce qui s'appelle le « Chariot ».

Quand le chariot est remonté, la traversée se fait à l'eau claire et presque aussi facilement qu'en été ; mais gare là-dessous quand la monstrueuse banquise, roulant à pleins bords d'un rivage à l'autre, revient s'écraser contre l'obstacle qui lui barre la route du Golfe !

Le choc est terrifiant.

Malheur, alors, à ceux qui se trouvent pris dans les mâchoires de la bête aveugle !

Ce fut le sort du pauvre Pitre Soulard.

Comme il est dit plus haut, le temps était exceptionnellement serein, mais le fleuve n'en était pas moins menaçant.

Pitre Soulard avait dès le matin traversé de Lévis à Québec ; et, après avoir effectué son chargement de retour, se préparait à prendre le large pour regagner la rive sud.

Malheureusement, un de ses passagers lui avait fait perdre un temps précieux, et le chariot, qu'entraînait le reflux commençait à doubler les quais du Foulon, lorsque Pitre Soulard, son aviron à la main, cria de toute la force de ses poumons :

– Embarque ! embarque !...

– Il est bien tard, Pitre, lui fit observer quelqu'un.

– Bah ! répondit-il, ça me connaît, allez, ces affaires-là.

– Ton canot est trop chargé, lui dit un autre, tu auras le chariot sur les flancs avant d'atteindre la batture de Lévis.

– Laissez-moi donc tranquille, vous autres ! me prenez-vous pour un serin ?

– Pitre Soulard, fit à son tour le père Baron, qui se trouvait là, pas de bêtises, hein !... On gagne rien à tenter le bon Dieu.

– Vous êtes tous des poules mouillées ! s'écria Pitre Soulard en lançant son canot en plein courant, du haut de la batture qui bordait l'anse où s'élève aujourd'hui le marché Champlain.

Ce fut un lourd plongeon dans un rejaillissement d'écume ; les pagaies creusèrent la vague avec effort, et le canot, monté par seize personnes, tant passagers que rameurs, s'éloigna sous le ciel bleu, en laissant derrière lui un long sillage d'argent dans le flot sombre, tandis que la voix énergiquement timbrée de Pitre Soulard criait :

– Nageons, les cœurs !...

Le courant déferlait avec une violence extrême : en quelques instants on les eut perdus de vue dans la direction du quai des Indes.

Vingt minutes après, le chariot passait en mugissant devant Québec, et les curieux qui regardaient rouler la trombe virent le père Baron faire un signe de croix à la dérobée, les yeux tournés du côté du large.

Le soir, quand la nuit hâtive de janvier descendit sur les hauteurs de Lévis, deux hommes côtoyaient le rivage en sanglotant, secoués de frissons convulsifs.

C'était Pitre Soulard, échappé à la mort comme par miracle, avec un de ses camarades.

Les quatorze autres avaient péri, noyés dans l'eau du fleuve ou impitoyablement broyés par les glaçons, dont les blocs énormes et les arêtes terribles avaient pulvérisé comme une allumette l'imprudente embarcation avec presque tout ce qu'elle contenait.

Si effroyable qu'elle fût, cependant, la leçon ne suffit point à corriger le téméraire.

Deux ans plus tard, dans une circonstance à peu près analogue, sa forfanterie causa la mort à deux autres malheureux, qui n'avaient pas craint de s'embarquer avec lui, malgré la réputation de fatalité attachée naturellement à sa personne.

Cette fois-là, par exemple, il y passa lui-même – et d'une façon tout particulièrement tragique.

Comme il se débattait à la nage en s'efforçant de s'agriffer à l'épave de son canot chaviré en plein chenal, une immense « glace vive », une de ces gigantesques feuilles de glace fine, acérées comme du verre et tranchantes comme l'acier, l'atteignit, foudroyante, et le décapita sous les yeux horrifiés de ses compagnons, aussi prestement qu'aurait pu faire le couperet de la guillotine.

La tête du malheureux rebondit au loin, et ricocha plusieurs fois sur la glace, en laissant une lugubre trace de sang sur son passage.

C'est cette tête qui revient, dit-on.

Dans cette partie du bassin de Québec qu'on appelle « entre les deux églises » – où les caboteurs du bas du fleuve ne manquent jamais, en passant, de dire un *ave* pour les « bonnes âmes » – la vision fantastique apparaît quelquefois.

C'est surtout par les jours de brume ou de « poudrerie » neigeuse que l'horrible fantôme se montre aux canotiers effrayés, que les glaces ont entraînés dans ces dangereux parages.

Tout à coup, au moment où l'on s'y attend le moins, on voit émerger de cette espèce d'obscurité laiteuse une vaste lame de glace, sur laquelle glisse en sursautant quelque chose de noir et d'informe qu'on distingue à peine dans les vagues opacités blanches.

C'est la tête à Pitre.

Virez de bord sans perdre une seconde !

Malheur à ceux qui l'ont aperçue : ils meurent dans l'année, et le plus souvent de mort accidentelle.

C'est cela qu'avait vu, dit-on, l'infortuné Octave Sanschagrin.

IV

Le père Baron en était là de son récit lorsqu'une voix retentit dans la rue :

– Embarque ! embarque !...

En un instant tous les canotiers furent sur pieds.

– Le baissant est fini, la mer est étale, allons !

– Combien de passagers ?

– Cinq.

– Un canot avec huit bons avirons va suffire.

– Allons, Nazaire, c'est à ton tour.

– Et vous avez de la chance, ajoutai-je, car vous allez conduire des nouveaux mariés.

– C'est-y vrai ?

– Et qui voient le Saint-Laurent pour la première fois, par-dessus le marché.

– Tout de bon ?

– Oui, ça vous portera bonheur.

– Ah ! ben dame, écoutez : puisque c'est comme ça, j'ai un beau canot tout flambant neuf que je voulais étrenner au jour de l'An, on va l'étrenner à soir.

– C'est une idée, fit le père Baron ; est-ce qu'il est prêt ?

– Il n'y a qu'à le sortir de la remise et à le mettre à l'eau.

– Amène, alors !

– C'est-y fait ?

– C'est fait ! On va le baptiser, ton canot neuf, comme un navire à trois mâts.

– La petite dame voudra-t-elle servir de marraine ?

– Je crois bien ! m'écriai-je, et le mari sera parrain. Quant à moi, je fournirai l'eau bénite. Ça y est-il ?

– Ça y est !...

– Hourrah !...

– Eh ben, en avant les cœurs !... Ho !...

Et nous voilà partis à la suite du beau canot neuf, pavoisé pour la circonstance, et que les canotiers, les uns à la bosse, les autres la main aux plats-bords, entraînaient joyeusement dans le sentier en pente qui conduisait à la rive.

Nous y fûmes rendus en quelques instants.

Le père Baron nous avait suivis.

– Père Édouard, lui dit Nazaire Jodoin, vous allez traverser avec nous, et vous gouvernerez. Encore quelque chose qui portera bonheur à mon canot.

Le père Baron ne se faisait jamais prier quand il s'agissait d'y aller de sa personne.

– Volontiers, dit-il, mes enfants, mais puisque nous allons baptiser un nouveau-né, avez-vous songé à lui choisir un nom ?

– En effet, il lui faut un nom.

– Voyons... C'est la veille de Noël, fit quelqu'un, si nous l'appelions Noël ?

– Sapristi, non ! intervint le propriétaire ; j'ai perdu un procès contre Noël Beaudoin de Saint-Henri : il s'appellera pas *Noël*.

– Dans ce cas, appelons-le *l'Enfant-Jésus,* proposa un des canotiers.

– Dis donc, toi, Tanfan Théaume, veux-tu te taire ? On n'est pas à l'église icitte ! Promettrais-tu seulement de jamais sacrer à bord de ce canot-là, si on l'appelait *l'Enfant-Jésus* ?

– Ben... dame...

– Non, n'est-ce pas ?... Eh ben, on est trop chétis, tout ce qu'on en est, entends-tu, pour donner des noms comme ça à nos canots.

– Si on le nommait *Santa-Claus* ? fit une voix.

– Oui ! pour qu'il entre tout chargé dans le grenier de la mère Bégin, comme celui de Michel Couture, qui portait ce nom-là ! Vous vous souvenez quand il a cassé son amarre en descendant la côte chez Fraser.

– Il est entré, vous dites...

– Oui, Madame, la nuit. Le chemin fait un coude à cet endroit-là, et comme le toit de la maison se trouvait de niveau avec la descente, le canot échappé, chargé d'un bœuf, a passé tout droit, et est entré par le pignon, perçant les lambris et culbutant tout, poêles, cloisons et couchettes, avec ce qu'il y avait dedans. Vous imaginez... Ça lui a coûté deux cents piastres, à Michel Couture.

– Et il s'appelait *Santa-Claus* ?

– Le canot ? Oui, Madame.

– Était-ce aussi la veille de Noël ? demanda la jeune femme avec un sourire.

– Ah ! non, par exemple, lui répondit-on en riant. Il n'aurait manqué que ça.

– Écoutez-moi, j'ai trouvé mieux, hasardai-je en m'avançant dans le groupe. Donnons-lui le nom de la marraine, parbleu ! Quel est votre petit nom, Madame ?

– Mary, Monsieur.

– Bravo ! c'est ça, *Merry Christmas* ! s'écria le père Baron qui risquait, sans s'en douter, un calembour anglais pour la première fois de sa vie.

– *Merry Christmas* ! Hourrah !...

En ce moment le premier « coup » de la messe de Minuit retentit dans le lointain, et, au son majestueux des cloches de Notre-Dame sonnant à toute volée, la libation traditionnelle coula sur la proue de la svelte embarcation, pendant que vingt voix joyeuses criaient : *Merry Christmas* ! aux échos des hautes falaises qui font pendant au rocher de Québec.

Un instant après, nous étions, mes deux camarades et moi, chaudement blottis dans les fourrures entassées au fond du canot.

Celui-ci, la pince tournée du côté du fleuve, s'avança d'abord lentement le nez dans le vide, resta un instant suspendu en équilibre, puis, emporté par le poids des rameurs qui sautaient l'un après l'autre à l'intérieur avec un cri de joie, la vaillante petite embarcation glissa comme une flèche, s'enfonça dans la vague, ricocha comme une balle, et, sous l'effort de huit bons avirons maniés avec adresse, prit sa course dans un tourbillon d'écume.

– *Merry Christmas* ! criaient les nageurs.

– *Merry Christmas !* répétait le père Baron assis sur la poupe et penché sur sa longue pagaie frétillant dans le remous comme la queue d'un triton.

– Allons, une chanson ! cria quelqu'un.

– Non, mes vieux ! pas de chanson à soir, dit le père Baron, un cantique plutôt.

Et, d'une voix juste et sonore que l'âge ne faisait pas encore chevroter, le vétéran des canotiers du Saint-Laurent entonna sur nos têtes le vieux cantique villageois dont le rythme allègre s'accorde si parfaitement avec la cadence des avirons :

Il est né le divin Enfant :
Jouez, hautbois ! résonnez, musettes !
Il est né le divin Enfant :
Chantons tous son avènement !

Et les voix mâles des nageurs de reprendre à l'unisson :

Il est né le divin Enfant !

Je n'oublierai jamais cette traversée merveilleuse.

Nous allions, rapides, sous l'azur flamboyant du ciel, tout inondés des rayons blancs de la lune qui se jouaient avec mille miroitements argentés dans les ondulations frissonnantes des vagues. On aurait dit que chaque étoile, étincelle magique, allumait une aigrette rutilante dans le fouillis des glaces immobiles.

Non, je n'oublierai jamais cette traversée de ma vie.

Un moment, une large banquise à surface plane comme un parquet de marbre se trouva postée carrément en travers de notre route.

En deux secondes, le canot fut hissé dessus. Et nous fîmes halte pour contempler le spectacle.

Il était féerique.

Les rives escarpées du fleuve déroulaient à droite et à gauche leurs fuyantes perspectives neigeuses, que les toits, les arbres, les dômes et les clochers trouaient de points sombres ou lumineux, comme les engrêlures d'une longue broderie flottante.

Autour de nous sur la nappe du fleuve s'étendaient à perte de vue des blancheurs noyées de clartés douces, brisées çà et là par des sillons, des déchirures, des crevasses, des mares, des lacs d'eau profonde dont la surface pailletée de reflets faisait encore ressortir la lugubre couleur d'encre.

Et tout cela dans une atmosphère de morsure glaciale, il est vrai, mais dont le calme étrange pénétrait l'âme d'une impression de sérénité extraordinaire.

– *Ave, Maria !* cria le père Baron en enlevant sa casquette.

Et les rudes canotiers se découvraient pieusement, leurs figures basanées s'illuminaient radieuses, sous la splendeur des astres.

Je renonce à peindre la scène.

– Impossible de rêver rien de plus beau, disaient ensemble mes deux amis.

– Et, Dieu merci, nous n'avons pas vu la tête à Pitre ! murmura Nazaire Jodoin, en mettant le pied sur la batture de Québec.

Plusieurs années plus tard, passant le long du rocher de Lévis qui domine l'anse où bruissent comme une ruche d'abeilles d'actifs chantiers de carénage, j'aperçus un vieux débris de canot, sur la poupe duquel un lambeau de tôle rouillée laissait voir ces quatre lettres : ....TMAS, reste d'une inscription à moitié effacée par l'abandon et les intempéries.

Était-ce l'épave du *Merry Christmas* d'autrefois ?

En tout cas, cette vue éveilla chez moi tout un essaim de souvenirs charmants et mélancoliques.

Ouise

Il y a quelques années passées, des circonstances particulières avaient conduit à Nicolet – jolie petite ville située sur les bords de la rivière du même nom – une famille de cinq personnes en tout, ni riche ni pauvre, de condition ni humble ni brillante, mais chez qui l'ange du bonheur domestique avait toujours eu sa place au foyer et son couvert à table.

À l'époque où se passe ma petite histoire, la plus jeune des trois enfants – une blonde aux yeux noirs, toute mignonne et toute frêle – avait à peine quatre ans ; mais sa jolie figure et ses mines futées, pleines d'espiègle câlinerie, l'avaient déjà rendue populaire dans tout le voisinage.

Elle parlait toujours d'elle-même à la troisième personne ; et son nom de Louise – qu'elle prononçait *Ouise* – était devenu familier un peu partout, depuis le bac du passeur Boisvert jusqu'au palais épiscopal ; car il ne faut pas oublier que nous sommes dans un évêché.

Quand celle qui le portait se penchait au balcon sur lequel s'ouvrait le salon paternel, ou qu'elle se promenait, légère comme une alouette, dans les allées du jardin, sa tête mutine émergeant ci et là parmi les rosiers et les chèvrefeuilles, les vieux prêtres qui se rendaient auprès de l'évêque, les collégiens qui tournaient l'avenue du Séminaire, les messieurs et les dames qui suivaient le trottoir de la grand-rue, ne manquaient jamais de lui dire en passant :

– Bonjour, Louise !

Ce à quoi une petite voix fraîche et rieuse répondait invariablement :

– *Bonzour !*

Les cochers même, les travailleurs qui revenaient du chantier après leur journée faite, lui souriaient avec un mot d'affection :

– Bonjour, mam'zelle Louise !

Et la fillette répondait avec un gazouillis sonore et clair comme un ramage de pinson :

– Bonzour, monsieur.

Souvent elle arrêtait les cochers d'un signe de son petit doigt rose, et quand ils s'approchaient pour lui demander ce qu'il pouvait y avoir à son service :

– Un tit tour ! murmurait-elle à demi-voix, pendant que tout un arsenal de malins sourires se dessinait aux coins de sa bouche et de ses yeux.

Quelquefois le cocher objectait :

– J'ai pas le temps, mam'zelle Louise.

Alors, elle posait l'index de sa main droite sur l'index de sa main gauche, et avec un accent d'irrésistible lutinerie :

– Un tit, tit, tit, tit !... gazouillait-elle, en variant ses intonations comme les vocalises les plus flûtées de la musique italienne.

C'était fini. Le cocher s'arrêtait, la regardait un instant, puis cédant tout à coup à un accès de bienveillance bourrue :

– Bigre d'enfant ! grommelait-il, pas moyen de lui rien refuser, à celle-là...

Et saisissant la petite dans ses deux bras robustes, il la déposait sur le siège de son barouche, sautait à côté d'elle, fouettait sa bête, et partait à l'aventure, pendant que l'enfant secouait ses boucles blondes dans le vent, et que ses éclats de gaieté s'égrenaient dans l'air comme des poignées de perles, aux oreilles des passants, qui la regardaient aller avec un sourire.

Bref, Louise se faisait aimer.

Aimait-elle quelqu'un en retour ?

Si elle aimait quelqu'un ! À qui demandez-vous cela ? Elle aimait tout le monde.

Oh ! oui ; mais à part le frère et la sœur – et surtout le papa et la maman toujours exceptés sous ce rapport – ce que Louise aimait le mieux, incontestablement, c'était son chien.

Car elle avait un chien, mademoiselle Louise ; un beau griffon français dont on apercevait à peine les yeux sous les longues mèches de sa luxuriante toison, un bon toutou qu'on avait nommé *Corbeau*, parce qu'il était tout noir.

De son côté, le chien s'était attaché à l'enfant et ne la quittait pas d'une semelle, si l'on peut se servir de cette expression quand il s'agit de la race canine.

Si quelque chose avait le don de jeter la petite dans des accès de gaieté folle, c'était cette vieille chansonnette, que son père lui chantait souvent, et dont voici une bribe :

Il était un petit homme
Qui s'appelait Guilleri,
Carabi !
Il s'en fut à la chasse,
À la chasse aux perdrix,
Carabi !
Titi, carabi !
Toto, carabo !

– Toto Corbeau !... s'écriait-elle.

Et son frais éclat de rire partait comme une fusée.

La première fois que la petite fut conduite à confesse, son père lui avait dit :

– Tu prieras le bon Dieu pour moi, n'est-ce pas, Louise ?

– Oh ! oui, avait-elle répondu.

Et, à son retour, quand le père lui eût demandé si elle avait bien rempli sa promesse :

– Oui, papa, répondit-elle, Ouise a dit deux gros péchés pour toi.

Voilà.

Et maintenant que le lecteur connaît mon héroïne, qu'on me laisse conter l'histoire promise.

À l'approche des fêtes, le papa était allé passer un jour ou deux à Montréal : on devine un peu dans quel but.

Il revint au logis juste la veille de Noël, avec une petite malle assez lourde, dont la clef – quel contretemps ! – avait été perdue en route.

Ce que cette malle contenait ? Il n'en avait pas le moindre

souvenir.

En tout cas, ce ne pouvait pas être des cadeaux, car, pour une raison ou pour une autre, il avait – chose étrange ! – trouvé toutes les boutiques fermées. Et, du reste, chose encore plus ennuyeuse, l'argent lui avait manqué...

Dans de pareilles conditions, comment voulez-vous acheter le moindre jouet ?

C'était bien fâcheux, mais tout le monde sait que, dans la nuit de Noël, Santa Claus fait sa tournée, et que sa hotte est toujours remplie de jolis présents pour les enfants sages.

– Allons, mes anges, déposez vos souliers dans la cheminée, accrochez vos bas au pied des couchettes, faites votre prière, et vite, sous les couvertures ! Demain matin, nous verrons ce que l'ami des petits enfants vous aura apporté. Si vous dormez bien, vous pouvez être sûrs qu'il ne vous oubliera pas.

Le garçon – rendons-lui cette justice – fit une moue où perçait une certaine dose d'incrédulité ; la cadette resta quelque peu pensive ; mais Louise se mit à sautiller en battant des mains et en lançant tout un feu roulant de rires perlés et d'interminables cris de joie.

Tout à coup, elle s'arrêta et se prit à réfléchir.

Puis, levant sur son père ses grands yeux inquisiteurs :

– Santa Claus va-t-il aussi porter quelque chose au tit Zésus ? dit-elle.

– Mais non, mon enfant.

– Pourquoi ?

– Parce que le petit Jésus n'en a pas besoin, lui, ma chérie ; tout lui appartient.

– Si, en a besoin ; l'est pauvre ; Ouise vu auzourd'hui ; a pas de tite robe ; a froid, froid... Pauv' bébé va pleurer... sûr !

Et la petite portait son doigt à sa lèvre, tout émue, la voix saccadée, presque larmoyante, et la poitrine palpitante comme celle d'un oiseau qu'un enfant a saisi par une plume de son aile.

Mais les émotions de l'enfance passent vite : les adieux du soir et les préparatifs de la nuit firent diversion.

Trois bons baisers bien sonores à papa, trois caresses bien tendres à maman ; et, dix minutes après, trois paires de jolis souliers neufs se trouvaient rangées sur les dalles du foyer, et trois mignonnes têtes blondes et brunes sommeillaient dans le creux de trois oreillers blancs fleurant l'iris, dans l'ombre des rideaux où se jouait la lueur douce et tremblotante des veilleuses.

La clef de la malle fut bien vite retrouvée, comme on le pense bien.

Et, conséquence naturelle, les cadeaux encombrèrent bientôt les abords de la cheminée : une grosse poupée richement habillée s'installa carrément en travers des souliers de Louise ; les petits bas suspendus au pied des lits regorgèrent de bonbons et de bijoux glissés là par la main discrète de la maman ; et quand, avant de se retirer, le père jeta un regard attendri dans l'entrebâillement des portes derrière lesquelles reposaient ses trésors, il crut voir l'essaim des génies ailés qu'on appelle les songes voltiger autour du front de sa favorite, et lui murmurer à l'oreille quelques-uns des divins secrets que, cette nuit-là surtout, les anges du ciel échangent entre eux dans l'enchantement des félicités éternelles.

Et, pendant que les domestiques sortaient sur la pointe des pieds pour se rendre à la messe de Minuit, les deux époux, retenus au logis par le devoir paternel, s'endormaient doucement bercés par la grande voix des cloches qui chantaient dans la nuit l'hosanna de la Rédemption entonné par les anges sur les collines de la Judée.

Aux premières lueurs du jour, des exclamations joyeuses les éveillèrent.

Un tapage harmonieux de trompettes, de tambours et de crins-crins, mêlé à des voix argentines, montait de l'étage inférieur.

En deux minutes, la maison fut sur pied.

Oh ! la ravissante chose que ces bonheurs enfantins, si purs de tout mélange, qui coûtent si peu cher à ceux qui les procurent, et dont le souvenir radieux vous suit tout le long de votre existence, jusqu'à l'âge des rétrospections mélancoliques !

La douce chose, surtout, que les tendresses reconnaissantes, que les candides et honnêtes sourires dont ils vous sont si largement payés !

Tout le monde ne fit bientôt qu'un groupe.

– Mais où est l'autre ? demanda le père, en embrassant les deux aînés ; Louise n'est pas encore levée ?

– Si fait, dit la maman, son lit est vide.

– Où est-elle donc alors ?

– Sais pas, répondent les petits.

– Louise !

– Louise !

On croit à une espièglerie ; on s'inquiète, on cherche...

– Où est le chien ? fit le père avec un serrement de cœur.

– Corbeau !

– Corbeau !

– Corbeau !...

Rien n'apparut, pas le plus petit grondement joyeux ne se fit entendre.

Le père eut une exclamation d'angoisse :

– Le chien n'y est pas ! l'enfant est disparue ! mon Dieu où est-elle ?

Et tout affolé, il s'élança dehors tête nue, sans même remarquer qu'on avait tiré le verrou.

Une légère couche de neige était tombée pendant la nuit : des pistes traversaient le jardin et se dirigeaient du côté de la cathédrale. On y reconnaissait la trace de deux petits pieds mignons, et cette rosette en forme de trèfle à cinq feuilles, que la patte d'un chien laisse derrière elle sur le sol malléable.

Cela rassura un peu le pauvre père, qui poursuivit sa course dans la direction indiquée par les pistes.

Il n'avait pas fait une centaine de pas, qu'il se trouvait en face de l'évêque, son ancien compagnon d'études, qui venait à lui, tenant par la main la fillette, dont l'autre menotte disparaissait parmi les longs poils rugueux du griffon.

– Ah ! Monseigneur... s'écria le père encore tout bouleversé par la poignante inquiétude qu'il venait d'éprouver.

– Je vous ramène une petite sainte, fit l'évêque.

Et remettant à son interlocuteur un léger paquet dissimulé sous son bras :

– Avec une restitution, ajouta-t-il en souriant.

On sut bientôt ce qui s'était passé.

Il faisait encore sombre, et les lampes allumées avant le jour à l'évêché n'avaient pas encore pâli devant l'aurore, lorsqu'on entendit sonner à la porte.

Ce fut la vieille Thérèse, la jardinière, qui alla ouvrir.

Un type à peindre que cette Thérèse.

Figurez-vous une vieille bougonneuse qui trimait dur, jordonnait du matin au soir, fumait comme une locomotive, et qui, contente ou mécontente, manifestait sa satisfaction ou son impatience en mâchonnant toujours le même juron : *Cré million !*

Vous lui donniez des sous, du tabac, un petit verre, quelque vieux vêtement :

– Cré million ! disait-elle, merci : c'est ça qui fait mon affaire !

Si les enfants du voisinage entraient dans son jardin, marchaient sur ses plates-bandes ou chipaient ses roses :

– Cré million ! s'écriait-elle, attendez voir, les marcassins, que je vous pende par les oreilles à la clenche de la porte.

Les enfants, qui connaissaient la valeur de ses menaces, n'en avaient guère peur et l'avaient surnommée *Million.*

De son côté, elle ne s'en fâchait pas.

Donc, la vieille Thérèse alla ouvrir la porte.

– *Bonzour, Miyon*, fit une petite voix qui sortait de l'ombre.

Thérèse s'approcha ; c'était Louise avec son chien et un petit paquet qu'elle portait précieusement au bout de ses bras, comme quelque chose de vénérable et de sacré.

On conçoit la surprise de la vieille.

– Comment, s'écria-t-elle, c'est toi, puceron !... Cré million ! qu'est-ce que tu viens faire ici à pareille heure ?

– Veux voir *monsieur Monseigneur.*

– Monseigneur, monseigneur... Cré million ! il a d'autre chose à

faire qu'à s'amuser à toi, monseigneur. Entre te chauffer, tiens !
Regardez-moi ça, cré million ! c'est déjà gelé comme un creton. A-t-
on jamais vu ?...

– Qu'est-ce que c'est ? fit une voix paternelle bien connue de la
fillette.

Et le bon évêque apparut dans l'encadrement d'une des portes
de l'antichambre.

– Qu'est-ce que c'est ?

– C'est moi.

– Qui, toi ?

– Ouise !

– Louise ! c'est pourtant vrai ! avec qui es-tu ?

– Avec Corbeau.

– Ton père sait-il que tu es sortie ?

– Dort !

– Et que viens-tu faire ?

– Ouise apporte tite robe pour tit Zésus.

– Tu apportes une robe pour le petit Jésus ?

– Oui, a vu lui hier, a pas de robe, a froid, froid.

– Mais où l'as-tu prise, cette robe ?

Alors l'enfant se mit à raconter, dans son naïf langage de bébé,
avec mille hésitations et en balbutiant les mots trop difficiles à
prononcer, comme quoi elle avait mis ses souliers dans la cheminée,
la veille au soir, avant de se coucher ; comme quoi Santa Claus était
venu pendant la nuit et lui avait apporté une grosse poupée en
toilette, avec une belle robe neuve ; comme quoi elle avait alors
pensé au petit Jésus tout seul au fond de sa crèche, exposée dans la
grande église froide ; et enfin comme quoi elle avait déshabillé la
poupée pour habiller celui qu'elle appelait « le tit Zésus ».

L'évêque écoutait tout cela avec attendrissement.

– Mais ta poupée va avoir froid à son tour, dit-il.

– Oh ! non, enveloppée dans çâle à Ouise.

– Eh bien, viens t'en, fit le bon prélat en se passant furtivement le bout du doigt dans le coin de l'œil ; nous allons retourner chez papa, tu rhabilleras ta poupée, et, quant au petit Jésus, sois tranquille, je vais faire chauffer sa crèche de façon à ce qu'il n'ait pas froid.

– Vrai, vrai ?

– Vrai, vrai ! vous vous chargerez de la chose, n'est-ce pas, Thérèse ?

Thérèse s'essuyait les yeux avec le coin de son tablier.

– Cré million ! Monseigneur, je vas vous le chauffer pour le sûr ; au risque... de le faire fondre.

– À la bonne heure ! Et maintenant voici une belle image pour toi, Louise : c'est le portrait du petit Jésus dans les bras de sa mère.

– Merci, monsieur Monseigneur.

– Tu la trouves de ton goût ?

– Oh, oui !... en as-tu encore une ?

– Tu en veux deux ? pourquoi faire ?

– Pour les étrennes à mon sauvaze.

– Quel sauvage ?

– Bon sauvaze apporté Ouise à maman, quand était tite, tite, tite !...

Et l'histoire – comme toutes les histoires de Louise devenue grande – finit par un éclat de rire.

Le fer à cheval

C'est un Montréalais bien connu qui parle.

Cette année-là, dit-il, je passai l'hiver à la Nouvelle-Orléans, en compagnie d'un de nos compatriotes, que je nommerai Alphonse, si vous le permettez – le plus aimable des camarades, le plus loyal des amis, mais aussi l'enfant le plus fataliste de la création.

Fataliste à ce point, qu'un bon jour, en pleine rue, il me tombe presque dans les bras en s'écriant tout joyeux :

– Mon cher ami, embrasse-moi : je viens de perdre cinq piastres !

Et, avant que j'eusse eu le temps de lui faire remarquer que je ne voyais point là un sujet de félicitations bien pressant, le voilà à faire un tour de valse sur le trottoir, au grand ébahissement des passants affairés.

Il avait accidentellement cassé un petit miroir le matin, et il s'attendait à n'importe quel malheur dans le cours de la journée. La perte des cinq dollars conjurait la guigne ; de là l'exubérance de sa jubilation.

Les chats noirs avaient, en particulier, le don de l'horripiler. Il aurait fait dix lieues pour en éviter un.

C'était le premier hiver que je passais sous un climat méridional ; et, ne connaissant encore, en fait de température de décembre, que les bourrasques neigeuses de Québec et la bise glaciale de Chicago, je vivais dans l'extase, grisé de soleil et de parfums.

De son côté, mon ami était un gai boute-en-train, mordant à belles dents dans le fruit plein de saveur de la jeunesse insoucieuse ; et, sans ennuis, sans inquiétudes, sans chagrins d'aucune sorte, nous menions là la plus radieuse vie de garçon qu'on puisse imaginer.

Notre matinée était consacrée au travail ; mais l'après-midi... mais le soir... À la libre disposition de nos capricieuses fantaisies !

Alphonse faisait partie d'une grande maison d'exportation de produits louisianais ; et, sur le même pallier que les bureaux de l'établissement, mais en arrière et séparé d'eux par une vaste pièce à peu près vide, qui servait, au besoin, de magasin d'échantillons, il s'était meublé un fort joli appartement que nous partagions en frères.

Les cloisons qui nous séparaient des bureaux étaient vitrées depuis le soubassement jusqu'au plafond ; de sorte que, de notre chambre à coucher – c'était cette pièce-là surtout que nous partagions en frères – nous pouvions apercevoir plus ou moins ce qui se passait du côté de la façade, où, par parenthèse, se trouvait notre seule issue.

Une antichambre tout étroite nous mettait en communication avec le magasin.

Noël approchait... le jour de l'An aussi, naturellement ; nous nous promettions du bon temps, de joyeuses soirées, d'aimables rencontres.

Un soir, cependant, en rentrant au logis après une nuit passée chez un planteur des environs, je trouvai Alphonse tout morose.

Un chat de couleur noire s'était, à ce qu'il me raconta, introduit le matin dans nos chambres, on ne sait trop comment, et John, notre domestique, de couleur noire aussi, aidé de toutes les mains en disponibilité, avait eu un mal de chien à en débarrasser la maison.

Durant deux jours, mon ami parut très occupé, inquiet.

Le causeur brillant, toujours prêt à rire à plein cœur, se faisait taciturne. Il mangeait plus que du bout des lèvres.

Le chat noir pouvait l'avoir ennuyé, mais le bouleverser à ce point, c'était inadmissible.

– Allons, lui dis-je la veille de Noël au soir, en le voyant fureter partout avec une humeur massacrante, qu'y a-t-il donc pour te rendre ainsi tout chose ?

– Il y a... grommela-t-il d'un ton rageur et en mâchonnant des jurons... y a qu'on m'a volé, tout simplement.

– Volé !

– Oui ! et le plus triste, ajouta-t-il en laissant tomber les bras de découragement, c'est que j'ai peur d'être obligé... de soupçonner quelqu'un...

– Est-ce possible ? Mais qui pourrais-tu donc soupçonner ?

– John, notre pauvre nègre. Comprends-tu ? soupçonner quelqu'un qu'on a toujours cru honnête ! Renvoyer un homme, déshonorer un vieillard... innocent peut-être ! Parole d'honneur ! je ne voudrais pas pour dix fois ce que j'ai perdu...

– Mais qu'as-tu donc perdu ?

– Mon porte-monnaie.

– Avec de l'argent ?

– Deux billets de cinq cents.

– Sapristi !

– Oui, mon cher, j'avais retiré cet argent de la banque pour conclure un marché, le soir, avec un vieux Créole. Tu sais que bon nombre de ces Créoles ne veulent pas entendre parler de chèques ; à peine s'ils acceptent des *greenbacks.* Or, mon homme ayant manqué au rendez-vous, mes mille dollars étaient restés en portefeuille ; et tout à disparu le lendemain matin, tiens, là, sur le dossier de cette chaise, dans la poche intérieure de mon gilet... Maudit chat noir !...

 – Et tu as bien cherché ?

– J'ai tout bouleversé, rien !... Mais n'en parlons plus, ajouta-t-il, en me prenant par le bras et en me tournant la tête du côté d'un joli petit poêle de fantaisie qui occupait le centre de notre chambre à coucher, regarde ! c'est la dernière fois que ces bêtises-là m'arrivent.

– Qu'est-ce que c'est que ça ?

– Un fer à cheval que je viens de trouver dans la rue. Enfoncée la déveine !

Et, en effet, j'aperçus, qui se balançait avec des reflets métalliques, un fer à cheval tout usé, suspendu en équilibre sur la fleur centrale qui surmontait le petit calorifère chargé de nous protéger contre les crudités éventuelles de la saison.

– Et tu crois... fis-je avec un sourire.

– Oui, je crois ! interrompit-il avec conviction ; tu verras toi-même.

– Eh bien, allons dîner ; nous boirons à la santé du sorcier qui doit ramener la bonne étoile sur notre horizon. S'il pouvait te rapporter ton porte-monnaie !

– Qui sait ? En tout cas, allons dîner, nous souperons après la messe de Minuit. J'ai recommandé à Victor de nous faire des croquignoles pour nous rappeler le pays.

– Bonne idée ! Mais y tiens-tu, toi, à la messe de Minuit ?

– Sans doute, j'y tiens. Les artistes de l'opéra vont chanter chez les jésuites, tu sais...

– Alors tu iras seul, car j'ai un rendez-vous pour la grand-messe de demain.

– Et les croquignoles ?

– Tu m'en apporteras.

Et voilà comment, le 25 décembre 1870, vers une heure du matin, je dormais seul – notre domestique ayant son logement ailleurs – dans un appartement solitaire de la rue Poydras, à la Nouvelle-Orléans, pendant que sous les voûtes tout illuminées des églises flottaient les chants joyeux de cette mystérieuse nuit de Noël si chère à tous les cœurs chrétiens.

Tout à coup, je m'éveillai.

Un bruit s'était fait entendre du côté des bureaux.

– Voici Alphonse qui rentre, me dis-je à moi-même ; j'aurais dû laisser le gaz allumé.

Ici, il me faut ouvrir une parenthèse.

Depuis quelques semaines, une singulière terreur régnait à la Nouvelle-Orléans.

On ne parlait que de cambrioleurs et de vols avec effraction.

Tous les matins, les journaux nous apportaient le récit de portes enfoncées, de tiroirs forcés, de coffres-forts dévalisés.

La police n'y pouvait rien. Les hardis voleurs défiaient sergents de ville et détectives, avec une habileté étonnante et une audace inouïe.

Guettés dans une direction, ils opéraient dans une autre, et presque toujours à coup sûr.

Ils s'attaquaient surtout aux coffres de sûreté ; et quand ceux-ci résistaient aux rossignols et aux pinces-monseigneurs, les coquins se servaient au besoin de fulmicoton, de nitroglycérine ou autres explosifs pour faire sortir les gonds et les serrures.

Bref, la ville était dans une alerte presque continuelle.

Mais revenons à mon récit.

Au moment où je faisais cette réflexion que j'aurais dû laisser le gaz allumé pour guider mon camarade, j'aperçus, en détournant la tête, comme un vague reflet intermittent se jouer dans le vitrage de la cloison.

– Allons, tant mieux, pensai-je, il a de la lumière.

Et j'attendis.

Pas un bruit de pas ; silence complet.

– Qu'est-ce qu'il fait donc ? me demandai-je en m'agenouillant sur mon lit pour jeter un coup d'œil du côté des bureaux.

– Tiens, ils sont deux ! fis-je tout surpris. Et que vont-ils faire à la caisse ?

Au même instant, la lueur d'une lanterne sourde me passa sur la figure, puis j'aperçus deux ombres qui se penchaient vers un des coffres-forts de l'établissement ; j'entendis même résonner le bouton de la serrure à secret.

Une pensée rapide comme l'éclair me fit frissonner jusque dans la racine des cheveux.

Nul doute, c'étaient les cambrioleurs !

Qu'allait-il arriver ?

Se contenteraient-ils de piller les bureaux ?

S'aviseraient-ils de venir de mon côté ?

Et alors ?...

Comment leur échapper ? comment donner l'alarme ? comment me défendre, si l'on me relançait au fond de ce gîte sans issue, où j'étais pris comme dans une souricière ?

Pas une arme, pas une canne !

J'étais même incapable de m'habiller, le moindre bruit pouvant attirer l'attention des malfaiteurs.

Il ne fallait pas rester au lit pourtant.

Une idée me vint : le fer à cheval d'Alphonse !

Et me voilà me glissant hors de mes couvertures avec des précautions infinies, et me dirigeant à pas de loup, tout doucement, tout doucement, vers le poêle, où je voyais luire vaguement dans les pâles clartés de la nuit, la seule arme que le hasard me fournissait.

Oh ! la bonne idée tout de même qu'il avait eue, ce cher Alphonse !

Un instant après, j'étais debout dans l'antichambre, effacé derrière le chambranle de la porte s'ouvrant sur le magasin, en chemise de nuit, flageolant sur mes jambes, claquant des dents, retenant mon haleine, la sueur au front, l'angoisse au cœur, et mon fer à cheval à la main.

On est toujours plus craintif à l'étranger que chez soi. Du reste un réveil en sursaut n'est pas fait pour donner de l'assurance. J'avais une peur folle.

L'attente dura-t-elle longtemps ? je ne saurais le dire, mais cela me parut long comme un siècle.

Ce que les voleurs avaient fait pendant ce temps-là, je ne m'en rendais aucunement compte.

J'avais la tête perdue.

Et j'attendais la fin, n'ayant qu'un espoir : que les *burglars*, satisfaits de leur butin, partissent sans songer à se diriger de mon côté.

Vain espoir.

Les deux ombres – elles me parurent gigantesques – étaient sorties des bureaux et s'en venaient droit à moi, le feu de leurs lanternes se promenant d'abord de droite et de gauche comme pour explorer les lieux, et enfin s'arrêtant sur la porte ouverte, où, figé de terreur et plus mort que vif, j'attendais le dénouement tragique qui ne pouvait manquer maintenant de se précipiter.

À cet instant suprême, par un curieux phénomène psychologique, le courage du désespoir me revint au cœur avec le sang-froid.

Je pus réfléchir.

Je me dis qu'une seule chance de salut me restait : ne pas me laisser surprendre, en assommer un du premier coup ; et dire à l'autre : À nous deux !

Pas une seconde ne s'écoula entre la pensée et l'exécution.

Les deux hommes marchaient vers moi, presque entièrement masqués par l'ombre, leurs réflecteurs projetant deux cônes de lumière en droite ligne devant eux.

Ce fut alors que j'apparus soudain, blanc comme un spectre dans l'encadrement éclairé de la porte ; et plus prompt que la foudre, en poussant un cri sauvage, je lançai mon arme avec une précision et une force terribles, droit à la tête de ce que je croyais être un des bandits...

Clic !... un bruit sec et métallique se fit entendre, en même temps qu'une voix tonitruante hurlait :

– *Goddam !... don't kill the police !...*

Le contrecoup de l'émotion me fit chanceler.

La réaction fut si soudaine que je pus à peine balbutier un mot d'excuse au pauvre gardien de la paix, que j'avais failli tuer.

Tout s'expliqua.

Alphonse, en partant pour la messe de Minuit, avait mal fermé la grande porte de fer qui donnait accès à notre appartement.

Le pêne à ressort n'était pas entré dans la gâchette.

Les deux sergents de ville, redoublant de précautions à cette époque de brigandages fréquents, avaient, dans leur ronde de nuit, poussé la porte, et la trouvant entrouverte, pénétré à l'intérieur à la recherche des voleurs possibles.

Ils avaient visité les bureaux, examiné les coffres de sûreté, et ils étaient en frais de compléter leurs recherches, en faisant une tournée dans les autres parties de la maison, lorsque mon fer à cheval était venu heurter et briser l'un des numéros en chiffres de cuivre qui ornaient le front de leurs shakos.

Si le coup avait porté deux pouces plus bas, le malheureux était assommé.

Je me remis petit à petit ; et quand l'ami Alphonse rentra, tout effaré de voir la porte ouverte, il me trouva aux prises avec une bonne bouteille de vieux bourbon du Kentucky, pour me restaurer les nerfs d'abord, et ensuite pour trinquer avec mes dévaliseurs de *safes*, deux bonnes têtes d'Irlandais qui riaient de ma peur avec des bouches fendues jusqu'aux oreilles.

– *Here's your luck !* criaient-ils avec un entrain magnifique.

– *Here's your luck ! old friends !* répondais-je avec un

enthousiasme guère plus dissimulé.

– *Merry Christmas !* intervint le bon Alphonse en entrant. J'apporte les croquignoles.

– *Merry Christmas and Happy New Year !*

– *God bless ye all, and Erin go bragh !*

Mon camarade fut bientôt au courant de la situation.

– Tu vois, mon vieux, me dit-il, qu'il est quelquefois bon d'avoir un fer à cheval sous la main.

– En tout cas, fit le policeman dont le numéro était endommagé, ça vaut toujours mieux que de l'avoir dans le front.

– Au fait, remarquai-je, qu'est-il devenu, le fer à cheval ?

– Je n'en sais rien, fit l'un des sergents.

– Ni moi, dit l'autre.

– Le fait est que je ne l'ai pas entendu tomber, fis-je à mon tour.

– Cherchons-le !

Et, armés de bougies et des lanternes sourdes, nous nous mîmes à fureter dans tous les coins, à la recherche du fer à cheval.

– Mais où est-il donc ?

– Il ne doit pourtant pas être bien loin.

– Pour sortir du magasin, il lui aurait fallu passer à travers un carreau.

– Et nous n'avons rien entendu.

– Et pas une vitre n'est brisée.

– C'est étrange.

– À moins qu'il ne soit là-dessus, hasarda l'un des sergents de ville.

Et il désignait une longue pile de barils vides de whisky dressés bout à bout dans un coin du magasin, et qui atteignaient presque le plafond.

– Ce n'est pas possible.

– Je veux en avoir le cœur net, dit Pat. Fais-moi la courte échelle, Michael.

Et voilà Pat en frais d'escalader les vieux barils qui résonnaient joyeusement sous les assauts de ses poings et de ses genoux.

Enfin, il atteignit le sommet.

– *Hurrah, boys !* cria-t-il, *here's the beggar !*

Et il brandissait triomphalement le fer à cheval.

Tout à coup :

– *Hold on !* cria-t-il de nouveau. Il y a autre chose. *What's this ?* Un porte-monnaie, *by Jove !*

– Mon porte-monnaie ! clama Alphonse.

Et le brave policeman tomba dans nos bras, le porte-monnaie perdu à la main.

– Il n'était pas pour rester là vingt ans, disait-il ; excellente cachette. Pas bête, le voleur !

Mon ami m'embrassait en riant aux larmes :

– Le fer à cheval ! disait-il, le fer à cheval... y croiras-tu maintenant ?

Puis il devint tout triste ; et jetant le fatal porte-monnaie sur son lit :

– Oh John !... dit-il d'un air découragé ; je lui aurais confié une fortune... À qui se fier, mon Dieu ?

Le matin, John parut, et à nous trois nous trouvâmes la clef de l'énigme.

Du gilet suspendu au dossier de la chaise, le porte-monnaie était tombé dans une botte qui par hasard se trouvait droit au-dessous.

L'infernal chat noir, poursuivi par tous les manches à balai de l'établissement, s'était réfugié sur les barils de whisky. La botte, lancée par le solide poignet d'Alphonse, avait délogé l'animal, mais était retombée vide.

Le porte-monnaie était resté sur la pile de barils ; et comme personne n'aurait jamais soupçonné qu'il fût là, il aurait bien pu, malgré l'avis de Pat, y rester vingt-ans, et même plus.

À savoir, par dessus le marché, si l'auteur de la trouvaille aurait eu l'honnêteté de John injustement soupçonnée.

Ce bon vieux John, s'il est encore de ce monde, il doit se rappeler les étrennes qu'il reçut cette année-là.

Quant à moi, je n'aurais jamais cru qu'on pût avoir une telle peur en pleine nuit de Noël.

Tom Caribou

Cric, crac, les enfants ! Parli, parlo, parlons ! Pour en savoir le court et le long, passez l'crachoir à Jos Violon. Sacatabi, sac-à-tabac ! À la porte les ceuses qu'écouteront pas !

Est-il besoin de dire que le conteur qui débutait ainsi n'était autre que Jos Violon lui-même, mon ami Jos Violon, qui présidait à une *veillée de contes*, la veille de Noël au soir, chez le père Jean Bilodeau, un vieux forgeron de notre voisinage.

Pauvre vieux Jean Bilodeau, il y a maintenant plus de cinquante ans que j'ai entendu résonner son enclume, et il me semble le voir encore assis à la porte du poêle, les coudes sur les genoux, avec le tuyau de son brûle-gueule enclavé entre les trois incisives qui lui restaient.

Jos Violon était un type très amusant, qui avait passé sa jeunesse dans les chantiers de « bois carré », et qui n'aimait rien tant que de raconter ses aventures de voyages dans les « pays d'en haut », comme on appelait alors les coupes de bois de l'Ottawa, de la Gatineau et du Saint-Maurice.

Ce soir-là, il était en verve.

Il avait été « compère » le matin, suivant son expression ; et comme les accessoires de la cérémonie lui avaient mis un joli brin de brise dans les voiles, une histoire n'attendait pas l'autre.

Toutes des histoires de chantier, naturellement : batailles, accidents, pêches extraordinaires, chasses miraculeuses, apparitions, sortilèges, prouesses de toutes sortes, il y en avait pour tous les goûts.

– Dites-nous donc un conte de Noël, Jos, si vous en savez, en attendant qu'on parte pour la messe de Mênuit, fit quelqu'un – une jeune fille qu'on appelait Phémie Boisvert, si je me rappelle bien.

Et Jos Violon, qui se vantait de connaître les égards dus au *sesque*, avait tout de suite débuté par les paroles sacramentelles que j'ai rapportées plus haut.

À la suite de quoi, après s'être humecté la luette avec un doigt de jamaïque, et avoir allumé sa pipe à la chandelle, à l'aide d'une de ces longues allumettes en cèdre dont nos pères, à la campagne, se servaient avant et même assez longtemps après l'invention des allumettes chimiques, il entama son récit en ces termes :

– C'était donc pour vous dire, les enfants, que, cette année-là, j'avions été faire une cage de pin rouge en en-haut de Bytown, à la fourche d'une petite rivière qu'on appelle la Galeuse, un nom pas trop appétissant comme vous voyez, mais qu'a rien à faire avec l'histoire que je m'en vas vous raconter.

J'étions quinze dans not' chantier : depuis le boss jusqu'au choreboy, autrement dit marmiton.

Tous des hommes corrects, bons travaillants, pas chicaniers, pas bâdreux, pas sacreurs – on parle pas, comme de raison, d'un petit torrieux de temps en temps pour émoustiller la conversation – et pas ivrognes.

Excepté un, dame ! faut ben le dire, un toffe !

Ah ! pour celui-là, par exemple, les enfants, on appelle pus ça ivrogne ; quand il se rencontrait face à face avec une cruche, ou qu'il se trouvait le museau devant un flacon, c'était pas un homme, c'était un entonnoir.

Y venait de quèque part derrière les Trois-Rivières.

Son nom de chrétien était Thomas Baribeau ; mais comme not' foreman qu'était un Irlandais avait toujours de la misère à baragouiner ce nom-là en anglais, je l'avions baptisé parmi nous autres du surbroquet de *Tom Caribou*.

Thomas Baribeau, Tom Caribou, ça se ressemblait, c'pas ? Enfin, c'était son nom de cage, et le boss l'avait attrapé tout de suite, comme si ç'avait été un nom de sa nation.

Toujours que, pour parler, m'a dire comme on dit, à mots couverts, Tom Caribou ou Thomas Baribeau, comme on voudra, était un gosier de fer-blanc première qualité, et par-dessus le marché, faut y donner ça, une rogne patente ; quèque chose de dépareillé.

Quand je pense à tout ce que j'y ai entendu découdre contre le bon Dieu, la sainte Vierge, les anges et toute la saintarnité, il m'en passe encore des souleurs dans le dos.

Il inventait la vitupération des principes, comme dit M. le curé.

Ah ! l'enfant de sa mère, qu'il était donc chéti, c't'animal-là !

Ça parlait au diable, ça vendait la poule noire, ça reniait père et mère six fois par jour, ça faisait jamais long comme ça de prière : enfin, je vous dirai que toute sa gueuse de carcasse, son âme avec, valait pas, sus vot' respèque, les quat' fers d'un chien. C'est mon opinion.

Y en avait pas manque dans not' gang qui prétendaient l'avoir vu courir le loup-garou à quat' pattes dans les champs, sans comparaison comme une bête, m'a dire comme on dit, qu'a pas reçu le baptême.

Tant qu'à moi, j'ai vu le véreux à quat' pattes ben des fois, mais c'était pas pour courir le loup-garou, je vous le persuade ; il était ben trop soûl pour ça.

Tout de même, faut vous dire que pendant un bout de temps, j'étais un de ceux qui pensaient ben que si le flambeux courait queuque chose, c'était plutôt la chasse-galerie, parce qu'un soir Titoine Pelchat, un de nos piqueux, l'avait surpris qui descendait d'un grot' âbre, et qui y avait dit : « Toine, mon maudit, si t'as le malheur de parler de d'ça, je t'étripe fret, entends-tu ? »

Comme de raison, Titoine avait raconté l'affaire à tout le chantier, mais sous secret.

Si vous savez pas ce que c'est que la chasse-galerie, les enfants, c'est moi qui peux vous dégoiser ça dans le fin fil, parce que je l'ai vue, moi, la chasse-galerie.

Oui, moi, Jos Violon, un dimanche midi, entre la messe et les vêpres, je l'ai vue passer en l'air, dret devant l'église de Saint-Jean-Deschaillons, sus mon âme et conscience, comme je vous vois là !

C'était comme qui dirait un canot qui filait, je vous mens pas, comme une ripouste, à cinq cents pieds de terre pour le moins, monté par une dizaine de voyageurs en chemise rouge, qui nageaient comme des damnés, avec le diable deboute sus la pince de derrière, qui gouvernait de l'aviron.

Même qu'on les entendait chanter en réponnant avec des voix de payens :

V'là l'bon vent ! Vlà l'joli vent !

Mais il est bon de vous dire aussi que y a d'autres malfaisants qu'ont pas besoin de tout ce bataclan-là pour courir la chasse-galerie.

Les vrais hurlots comme Tom Caribou, ça grimpe tout simplement d'un âbre, épi ça se lance su une branche, su un bâton, su n'importe quoi, et le diable les emporte.

Y font jusqu'à des cinq cents lieues d'une nuit pour aller marmiter on sait pas queux manigances de réprouvés dans des racoins où c'que les honnêtes gens voudraient pas mettre le nez pour une terre.

En tout cas, si Tom Caribou courait pas la chasse-galerie, quand y s'évadait le soir tout fin seul, en regardant par derrière lui si on le watchait, c'était toujours pas pour faire ses dévotions, parce que – y avait du sorcier là-dedans ! – malgré qu'on n'eût pas une goutte de boisson dans le chantier, l'insécrable empestait le rhum à quinze pieds, tous les matins que le bon Dieu amenait.

Où c'qu'il prenait ça ? Vous allez le savoir, les enfants.

J'arrivions à la fin du mois de décembre, et la Noël approchait, quand une autre escouade qui faisait chantier pour le même bourgeois, à cinq lieues plus haut que nous autres su la Galeuse, nous firent demander que si on voulait assister à la messe de Mênuit, j'avions qu'à les rejoindre, vu qu'un missionnaire qui r'soudait de chez les sauvages du Nipissingue serait là pour nous la chanter.

– Batêche ! qu'on dit, on voit pas souvent d'enfants-Jésus dans les chantiers, ça y sera !

On n'est pas des anges, dans la profession de voyageurs, vous comprenez, les enfants.

On a beau pas invictimer les saints, et pi escandaliser le bon Dieu à cœur de jour, comme Tom Caribou, on passe pas six mois dans le bois et pi six mois sus les cages par année sans être un petit brin slack sus la religion.

Mais y a toujours des imites pour être des pas grand-chose, pas vrai ! Malgré qu'on n'attrape pas des crampes aux mâchoires à ronger les balustres, et qu'on fasse pas la partie de brisque tous les soirs avec le bedeau, on aime toujours à se rappeler, c'pas, qu'un Canayen a d'autre chose que l'âme d'un chien dans le moule de sa bougrine, su vot' respèque.

Ça fait que la tripe fut ben vite décidée, et toutes les affaires arrimées pour l'occasion.

Y faisait beau clair de lune ; la neige était snog pour la raquette ; on pouvait partir après souper, arriver correct pour la messe, et être revenus flèche pour déjeuner le lendemain matin, si par cas y avait pas moyen de coucher là.

– Vous irez tout seuls, mes bouts de crime !... dit Tom Caribou, avec un chapelet de blasphèmes à faire gricher les cheveux, et en frondant un coup de poing à se splitter les jointures sur la table de la cambuse.

Pas besoin de vous dire, je présuppose, que personne de nous autres s'avisit de se mettre à genoux pour tourmenter le pendard. C'était pas l'absence d'un marabout pareil qui pouvait faire manquer la cérémonie, et j'avions pas besoin de sa belle voix pour entonner la *Nouvelle agréable*.

– Eh ben, si tu veux pas venir, que dit le foreman, gène-toi pas, mon garçon. Tu garderas la cabane. Et puisque tu veux pas voir le bon Dieu, je te souhaite de pas voir le diable pendant qu'on n'y sera pas.

Pour lorse, les enfants, que nous v'là partis, la ceinture autour du corps, les raquettes aux argots, avec chacun son petit sac de provisions sur l'épaule, et la moiquié d'une torquette de travers dans le gouleron.

Comme on n'avait qu'à suivre la rivière, la route faisait risette, comme vous pensez ben ; et je filions en chantant *La Boulangère*, sus la belle neige fine, avec un ciel comme qui dirait viré en cristal, ma foi de gueux, sans rencontrer tant seulement un bourdignon ni une craque pour nous interboliser la manœuvre.

Tout ce que je peux vous dire, les enfants, c'est qu'on n'a pas souvent de petites parties de plaisir comme ça dans les chantiers !

Vrai, là ! on s'imaginait entendre la vieille cloche de la paroisse qui nous chantait : *Viens donc ! viens donc !* comme dans le bon vieux temps ; et des fois, le mistigri m'emporte ! je me retournais pour voir si je voirais pas venir derrière nous autres queuque beau petit trotteur de par cheux nous, la crigne au vent, avec sa paire de clochettes pendue au collier, ou sa bande de gorlots fortillant à la martingale.

C'est ça qui vous dégourdissait le canayen un peu croche !

Et je vous dis, moi, attention ! que c'était un peu beau de voir arpenter Jos Violon ce soir-là ! C'est tout ce que j'ai à vous dire.

Not' messe de Mênuit, les enfants, j'ai pas besoin de vous dire que ça fut pas fionné comme les cérémonies de Monseigneur.

Le curé avait pas m'a dire comme on dit, un set de garnitures numéro trente-six ; les agrès de l'autel reluisaient pas assez pour nous éborgner ; les chantres avaient pas toute le sifflette huilé comme des gosiers de rossignols, et les servants de messe auraient eu, j'crais ben, un peu plus de façon l'épaule sour le cantouque que l'ensensoir au bout du bras.

Avec ça que y avait pas plus d'Enfant-Jésus que su la main ! Ce qui est pas, comme vous savez, rien qu'un bouton de bricole de manque pour une messe de Mênuit.

Pour dire la vérité, le saint homme Job pouvait pas avoir un grèement pus pauvre que ça pour dire sa messe !

Mais, c't'égal, y a ben eu des messes en musique qui valaient pas c't'elle-là, mes p'tits cœurs, je vous en donne la parole d'honneur de Jos Violon !

Ça nous rappelait le vieux temps, voyez-vous, la vieille paroisse, la vieille maison, la vieille mère... exétéra.

Bon sang de mon âme ! les enfants, Jos Violon est pas un pince-la-lippe, ni un braillard de la Madeleine, vous savez ça ; eh ben, je finissais pas de changer ma chique de bord pour m'empêcher de pleurer.

Mais y s'agit pas de tout ça, faut savoir ce qu'était arrivé à Tom Caribou pendant not' absence.

Comme de raison, c'est pas la peine de vous conter qu'après la messe, on revint au chantier en piquant au plus court par le même chemin. Ce qui fait qu'il était grand jour quand on aperçut la cabane.

D'abord on fut joliment surpris de pas voir tant seulement une pincée de boucane sortir du tuyau ; mais on le fut encore ben plusse quand on trouvit la porte toute grande ouverte, le poêle raide mort, et pas plus de Tom Caribou que dans nos sacs de provisions.

Je vous mens pas, la première idée qui nous vint, c'est que le diable l'avait emporté.

Un vacabond de c't'espèce-là, c'pas ?...

– Mais c't'égal, qu'on se dit, faut toujours le sarcher.

C'était pas aisé de le sarcher, vu qu'il avait pas neigé depuis plusieurs jours, et qu'y avait des pistes éparpillées tout alentour de la cabane, et jusque dans le fond du bois, si ben encroisaillées de tout bord et de tout côté, que y avait pas moyen de s'y reconnaître.

Chanceusement que le boss avait un chien ben smart : *Polisson*, qu'on l'appelait par amiquié.

– Polisson, sarche ! qu'on y dit.

Et v'là Polisson parti en furetant, la queue en l'air, le nez dans la neige ; et nous autres par derrière avec un fusil à deux coups chargé à balle.

On savait pas ce qu'on pourrait rencontrer dans le bois, vous comprenez ben.

Et je vous dis, les enfants, que j'avions un peu ben fait de pas oublier c't'instrument-là, comme vous allez voir.

Dans les chantiers faut des précautions.

Un bon fusil d'une cabane, c'est sans comparaison comme le cotillon d'une créature dans le ménage. Rappelez-vous ben ça, les enfants !

Toujours que c't'fois-là, c'est pas à cause que c'est moi qui le manœuvrais, mais je vous persuade qu'il servit à queuque chose, le fusil.

Y avait pas deux minutes qu'on reluquait à travers les branches, que v'là not' chien figé dret sus son derrière, et qui tremblait comme une feuille.

Parole de Jos Violon, j'crois que si le vlimeux avait pas eu honte, y revirait de bord pour se sauver à la maison.

Moi, je perds pas de temps, j'épaule mon ustensile, et j'avance...

Vous pourrez jamais vous imaginer, les enfants, de quoi t'est-ce que j'aperçus dret devant moi, dans le défaut d'une petite coulée là où c'que le bois était un peu plus dru, et la neige un peu plus épaisse qu'ailleurs.

C'était pas drôle ! je vous en signe mon papier.

Ou plutôt, ça l'aurait ben été, drôle, si ç'avait pas été si effrayant.

Imaginez-vous que not' Tom Caribou était braqué dans la fourche d'un gros merisier, blanc comme un drap, les yeux sortis de la tête, et fisqués sus la physiolomie d'une mère d'ourse qui tenait le merisier à brasse-corps, deux pieds au-dessous de lui.

Batiscan d'une petite image ! Jos Violon est pas un homme pour cheniquer devant une crêpe à virer, vous savez ça ; eh ben le sang me fit rien qu'un tour depuis la grosse orteil jusqu'à la fossette du cou.

– C'est le temps de pas manquer ton coup, mon pauvre Jos Violon, que je me dis. Envoie fort, ou ben fais ton acte de contorsion !

Y avait pas à barguiner, comme on dit. Je fais ni une ni deux, vlan ! Je vrille mes deux balles raide entre les deux épaules de l'ourse.

La bête pousse un grognement, étend les pattes, lâche l'âbre, fait de la toile, et timbe sus le dos les reins cassés.

Il était temps.

J'avais encore mon fusil à l'épaule, que je vis un autre paquet dégringoler de l'âbre.

C'était mon Tom Caribou, sans connaissance, qui venait s'élonger en plein travers de l'ourse les quat' fers en l'air, avec un rôdeux de coup de griffe dans le fond... de sa conscience, et la tête... devinez, les enfants !... La tête toute blanche !

Oui, la tête blanche ! la crignasse y avait blanchi de peur dans c'te nuit-là, aussi vrai que je vas prendre un coup tout à l'heure, avec la grâce du bon Dieu et la permission du père Bilodeau, que ça lui sera rendu, comme on dit, au *sanctus*.

Oui, vrai ! le malvat avait vieilli au point que j'avions de la misère à le reconnaître.

Pourtant c'était ben lui, fallait pas l'ambâdonner.

Vite, on afistole une estèque avec des branches, et pi on couche mon homme dessus, en prenant ben garde, naturellement, au jambon que l'ourse y avait détérioré dans les bas côtés de la corporation ; et pi on le ramène au chantier, à moitié mort et aux trois quarts gelé raide comme un saucisson.

Après ça, dame, il fallait aussi draver l'ourse jusqu'à la cambuse.

Mais vlà-t-y pas une autre histoire !

Vous traiterez Jos Violon de menteur si vous voulez, les enfants ; c'était pas croyable, mais la vingueuse de bête sentait la boisson, sans comparaison comme une vieille tonne défoncée ; que ça donnait des envies de licher l'animal, à ce que disait Titoine Pelchat.

Tom Caribou avait jamais eu l'haleine si ben réussie.

Mais, laissez faire, allez, c'était pas un miracle.

On comprit l'affaire quand Tom fut capable de parler, et qu'on apprit ce qui était arrivé.

Vous savez, les enfants – si vous le savez pas, c'est Jos Violon qui va vous le dire – que les ours passent pas deux hivers à travailler aux chantiers comme nous autres, les bûcheux de bois carré, autrement dits voyageurs.

Ben loin de travailler, c'te nation-là pousse la paresse au point qu'ils mangent seulement pas.

Aux premières gelées de l'automne, y se creusent un trou entre les racines d'un âbre, et se laissent enterrer là tout vivants dans la neige, qui fond par-dessour, de manière à leux faire une espèce de réservoir, là y où c'qu'ils passent leux hivernement, à moitié endormis comme des armottes, en se lichant les pattes en guise de repas.

Le nôtre, ou plutôt celui de Tom Caribou, avait choisi la racine de ce merisier-là pour se mettre à l'abri, tandis que Tom Caribou avait choisi la fourche... je vous dirai pourquoi tout à l'heure.

Seulement – vous vous rappelez, c'pas, que le terrain allait en pente – Tom Caribou, c'qu'était tout naturel, rejoignait sa fourche du côté d'en-haut ; et l'ourse, c'qu'était ben naturel étout, avait creusé son trou du côté d'en-bas, où c'que les racines étaient plus sorties de terre.

Ce qui fait que les deux animaux se trouvaient presque voisins, m'a dire comme on dit, sans s'être jamais rencontrés. Chacun s'imaginait qu'il avait le merisier pour lui tout seul.

Vous allez me demander quelle affaire Tom Caribou avait dans c'te fourche.

Eh ben, dans c'te fourche y avait un creux, et dans ce creux notre ivrogne avait caché une cruche de whisky en esprit qu'il avait réussi à faufiler dans le chantier, on sait pas trop comment.

On suppose qu'il nous l'avait fait traîner entre deux eaux, au bout d'une ficelle, en arrière du canot.

Toujours est-il qu'il l'avait ! Et le soir, en cachette, il grimpait dans le merisier pour aller emplir son flasque.

C'était de c't'âbre-là que Titoine Pelchat l'avait vu descendre, la fois qu'on avait parlé de chasse-galerie ; et c'est pour ça que tous les matins, on aurait pu lui faire flamber le soupirail rien qu'en lui passant un tison sur le nez.

Ainsi donc, comme dit M. le curé, après not' départ pour la messe de Mênuit, Tom Caribou avait été emplir son flasque.

Un jour de grand-fête, comme de bonne raison, le flasque s'était vidé vite, malgré que le vicieux fût tout seul à se payer la traite ; et mon Tom Caribou était retourné à son armoire pour renouveler ses provisions.

Malheureusement, si le flasque était vide, Tom Caribou l'était pas, lui. Au contraire, il était trop plein.

La cruche s'était débouchée, et le whisky avait dégorgé à plein gouleron de l'autre côté du merisier, dret sus le museau de la mère ourse.

La vieille s'était d'abord liché les babines en reniflant ; et trouvant que c'te pluie-là avait un drôle de goût et une curieuse de senteur, elle avait ouvert les yeux. Les yeux ouverts, le whisky avait coulé dedans.

Du whisky en esprit, les enfants, faut pas demander si la bête se réveillit pour tout de bon.

En entendant le heurlement, Tom Caribou était parti à descendre ; mais bougez pas ! l'ourse qui l'avait entendu grouiller, avait fait le tour de l'âbre, et avant que le malheureux fût à moitié chemin, elle lui avait posé, sus vot' respèque, pour parler dans les tarmes, la patte dret sur le rond-point.

Seulement l'animal était trop engourdi pour faire plusse ; et, pendant que not' possédé se racotillait dans l'âbre, le l'envers du frontispice tout ensanglanté, il était resté à tenir le merisier à brassée, sans pouvoir aller plus loin…

V'là ce qui s'était passé… Vous voyez que, si l'ourse sentait le whisky, c'était pas un miracle.

Pauvre Tom Caribou ! entre nous autres, ça prit trois grandes semaines pour lui radouer le fond de cale. C'est Titoine Pelchat qui y collait les catapleumes sus la… comme disent les notaires, sur la propriété foncière.

Jamais on parvint à mettre dans le cabochon de notre ivrogne que c'était pas le diable en personne qu'il avait vu, et qui y avait endommagé le cadran de c'te façon-là.

Fallait le voir tout piteux, tout cireux, tout débiscaillé, le toupet comme un croxignole roulé dans le sucre blanc, et qui demandait pardon, même au chien, de tous ses sacres et de toutes ses ribotes.

Il pouvait pas s'assire, comme de raison ; pour lorse qu'il était obligé de rester à genoux.

C'était sa punition pour pas avoir voulu s'y mettre d'un bon cœur le jour de Noël…

Et cric ! crac ! cra !

Sacatabi, sac-à-tabac !

Mon histoire finit d'en par là.

Titange

Ça, c'est un vrai conte de Noël, si y en a un ! dit le vieux Jean Bilodeau. Vous en auriez pas encore un à nous conter, Jos ? Vous avez le temps d'icitte à la messe de Mênuit.

– C'est ça, encore un, père Jos ! dit Phémie Boisvert. Vous en sauriez pas un sus la chasse-galerie, c'te machine dont vous venez de parler ?

– Bravo ! s'écria tout le monde à la ronde, un conte de Noël sus la chasse-galerie !

Jos Violon ne se faisait jamais prier.

– Ça y est, dit-il. Cric, crac, les enfants... Parli, parlo, parlons...

Exétéra... Et il était entré en matière :

C'était donc pour vous dire, les enfants, que, c't'année-là, j'avions pris un engagement pour aller travailler de la grand-hache, au service du vieux Dawson, qu'avait ouvert un chanquier à l'entrée de la rivière aux Rats, sus le Saint-Maurice, avec une bande de hurlots de Trois-Rivières, où c'qu'on avait mêlé tant seurement trois ou quatre chréquins de par en-bas.

Quoique les voyageurs de Trois-Rivières soient un set un peu roffe, comme vous verrez tout à l'heure, on passait pas encore un trop mauvais hiver, grâce à une avarie qu'arriva à un de nous autres, la veille de Noël au soir, et que je m'en vas vous raconter.

Comme pour équarrir, vous savez, y faut une grand-hache avec un piqueux, le boss m'avait accouplé avec une espèce de galvaudeux que les camarades appelaient – vous avez qu'à voir ! – jamais autrement que Titange.

Titange ! c'est pas là, vous allez me dire, un surbroquet ben commun dans les chantiers. J'sus avec vous autres ; mais enfin c'était pas de ma faute, y s'appelait comme ça.

Comment c'que ce nom-là y était venu ?

Y tenait ça de sa mère... avec une paire d'oreilles, mes amis, qu'étaient pas manchottes, je vous le persuade. Deux vraies palettes d'avirons, sus vot' respèque !

Son père, Johnny Morissette, que j'avais connu dans le temps, était un homme de chantier un peu rare pour la solidité des fondations et, quoique d'un sang ben tranquille, un peu fier de son gabareau, comme on dit.

Imaginez la grimace que fit le pauvre homme, quand un beau printemps, en arrivant chez eux après son hivernement, sa femme vint y mettre sous le nez une espèce de coquecigrue qu'avait l'air d'un petit beignet sortant de la graisse, en disant : « Embrasse ton garçon ! »

– C'est que ça ?... que fait Johnny Morissette qui manquit s'étouffer avec sa chique.

– Ça, c'est un petit ange que le bon Dieu nous a envoyé tandis que t'étais dans le bois.

– Un petit ange ! que reprend le père ; eh ben, vrai là, j'crairais plutôt que c'est un commencement de bonhomme pour faire peur aux oiseaux !

Enfin, y fallait ben le prendre comme il était, c'pas ; et Johnny Morissette, qu'aimait à charader, voyait jamais passer un camarade dans la rue sans y crier :

– T'entres pas voir mon p'tit ange ?

Ce qui fait, pour piquer au plus court, que tout le monde avait commencé par dire le p'tit ange à Johnny Morissette, et que, quand le bijou eut grandi, on avait fini par l'appeler Titange tout court.

Quand je dis « grandi », faudrait pas vous mettre dans les ouïes, les enfants, que le jeune homme pût rien montrer en approchant du gabarit de son père. Ah ! pour ça, non ! Il était venu au monde avorton, et il était resté avorton. C'était un homme manqué, quoi ! à l'exception des oreilles.

Et manquablement que ça le chicotait gros, parce que j'ai jamais vu dans toute ma vie de voyageur, ni sus les cages ni dans les bois, un petit tison d'homme pareil. C'était gros comme rien, et pour se reconsoler, je suppose, ça tempêtait, je vous mens pas, comme vingt-cinq chanquiers à lui tout seul.

À propos de toute comme à propos de rien, il avait toujours la hache au bout du bras et parlait rien que de tuer, d'assommer, de massacrer, de vous arracher les boyaux et de vous ronger le nez.

Les ceusses qui le connaissaient pas le prenaient pour un démon, comme de raison, et le craignaient comme la peste ; mais moi je savais ben qu'il était pas si dangereux que tout ça. Et pi, comme j'étais matché avec, c'pas, fallait ben le prendre en patience. Ce qui fait qu'on était restés assez bons amis, malgré son petit comportement.

On jasait même quèque fois sus l'ouvrage, sans perdre de temps, ben entendu.

Un bon matin – c'était justement la veille de Noël – le v'là qui s'arrête tout d'un coup de piquer et qui me fisque dret entre les deux yeux, comme quèqu'un qu'a quèque chose de ben suspèque à lâcher.

Je m'arrête étout moi, et pi j'le regârde.

– Père Jos ! qu'y me dit en reluquant autour de lui.

– Quoi c'que y a, Titange ?

– Êtes-vous un homme secret, vous ?

– M'as-tu jamais vu bavasser ? que je réponds.

– Non, mais je voudrais savoir si on peut se fier à votre indiscrétion.

– Dame, c'est selon, ça.

– Comment, c'est selon ?

– C'est-à-dire que s'il s'agit pas de faire un mauvais coup...

– Y a pas de mauvais coup là-dedans ; y s'agit tant seurement d'aller faire un petit spree à soir chez le bom' Câlice Doucet de la banlieue.

– Queue banlieue ?

– La banlieue de Trois-Rivières, donc. C'est un beau joueur de violon que le bom' Câlice Doucet ; et pi les aveilles de Noël, comme ça, y a toujours une trâlée de créatures qui se rassemblent là pour danser.

– Mais aller danser à la banlieue de Trois-Rivières à soir ! Quatre-vingts lieues au travers des bois, sans chemins ni voitures... viens-tu fou ?

– J'avons pas besoin de chemins ni de voitures.

– Comment ça ? T'imagines-tu qu'on peut voyager comme des

oiseaux ?

– On peut voyager ben mieux que des oiseaux, père Jos.

– Par-dessus les bois pi les montagnes ?

– Par-dessus n'importe quoi.

– J'te comprends pas !

– Père Jos, qu'y dit en regardant encore tout autour de nous autres pour voir si j'étions ben seux, vous avez donc pas entendu parler de la chasse-galerie, vous ?

– Si fait.

– Eh ben ?

– Eh ben, t'as pas envie de courir la chasse-galerie, je suppose !

– Pourquoi pas ? qu'y dit, on est pas des enfants.

Ma grand- conscience ! en entendant ça, mes amis, j'eus une souleur. Je sentis, sus vot' respèque, comme une haleine de chaleur qui m'aurait passé devant la physionomie. Je baraudais sur mes jambes et le manche de ma grand-hache me fortillait si tellement dans les mains que je manquis la ligne par deux fois de suite, c'qui m'était pas arrivé de l'automne.

– Mais, Titange, mon vieux, que je dis, t'as donc pas peur du bon Dieu ?

– Peur du bon Dieu ! que dit le chéti en éclatant de rire. Il est pas par icitte, le bon Dieu. Vous savez pas qu'on l'a mis en cache à la chapelle des Forges ?... Par en-bas, je dis pas ; mais dans les hauts, quand on a pris ses précautions, d'abord qu'on est ben avec le Diable, on est correct.

– Veux-tu te taire, réprouvé ! que j'y dis.

– Voyons, faites donc pas l'habitant, père Jos, qu'y reprend. Tenez, je m'en vas vous raconter comment que ça se trime, c't'affaire-là.

Et pi, tout en piquant son plançon comme si de rien n'était, Titange se mit à me défiler tout le marmitage. Une invention du Démon, les enfants ! Que j'en frémis encore rien que de vous répéter ça.

Faut vous dire que la ville de Trois-Rivières, mes petits cœurs, si c'est une grosse place pour les personnes dévotieuses, c'est ben aussi la place pour les celles qui le sont pas beaucoup. Je connais Sorel dans tous ses racoins ; j'ai été au moins vingt fois à Bytown, « là où c'qu'y s'ramasse ben de la crasse », comme dit la chanson ; eh ben, en fait de païens et de possédés sus tous les rapports, j'ai encore jamais rien vu pour bitter le faubourg des Quat'-Bâtons à Trois-Rivières. C'est, m'a dire comme on dit, hors du commun.

C'que ces flambeux-là sont capables de faire, écoutez : quand ils partent l'automne, pour aller faire chanquier sus le Saint-Maurice, ils sont ben trop vauriens pour aller à confesse avant de partir, c'pas ; eh ben comme ils ont encore un petit brin de peur du bon Dieu, ils le mettent en cache, à ce qu'y disent.

Comment c'qu'y s'y prennent pour c't'opération-là, c'est c'que je m'en vas vous espliquer, les enfants – au moins d'après c'que Titange m'a raconté.

D'abord y se procurent une bouteille de rhum qu'a été remplie à mênuit, le jour des Morts, de la main gauche, par un homme la tête en bas. Ils la cachent comme y faut dans le canot et, rendus aux Forges, y font une estation. C'est là que se manigance le gros de la cérémonie.

La chapelle des Forges a un perron de bois, c'pas ; eh ben, quand y fait ben noir, y a un des vacabonds qui lève une planche pendant qu'un autre vide la bouteille dans le trou en disant :

– *Gloria patri, gloria patro, gloria patrum !*

Et l'autre répond en remettant la planche, à sa place :

– *Ceusses qu'ont rien pris, en ont pas trop d'une bouteille de rhum.*

– Après ça, que dit Titange, si on est correct avec Charlot, on a pas besoin d'avoir peur pour le reste de l'hivernement. Passé la Pointe-aux-Baptêmes, y a pus de bon Dieu, y a pus de saints, y a pus rien ! On peut se promener en chasse-galerie tous les soirs si on veut. Le canot file comme une poussière, à des centaines de pieds au-dessus de terre ; et d'abord qu'on prononce pas le nom du Christ ni de la Vierge, et qu'on prend garde de s'accrocher sus les croix des églises, on va où c'qu'on veut dans le temps de le dire. On fait des centaines de lieues en criant : Jack !

– Et pi t'as envie de partir sus train-là à soir ? que j'y dis.

– Oui, qu'y me répond.

– Et pis tu voudrais m'emmener ?

– Exaltement. On est déjà cinq ; si vous venez avec nous autres, ça fera six : juste, un à la pince, un au gouvernail et deux rameurs de chaque côté. Ça peut pas mieux faire. J'ai pensé à vous, père Jos, parce que vous avez du bras, de l'œil pi du spunk. Voyons, dites que oui, et j'allons avoir un fun bleu à soir.

– Et le saint jour de Noël encore ! Y penses-tu ? que je dis.

– Quins ! c'est rien que pour le *fun* ; et le jour de Noël, c'est une journée de *fun*. La veille au soir surtout.

Comme vous devez ben le penser, les enfants, malgré que Jos Violon soye pas un servant de messe du premier limaro, rien que d'entendre parler de choses pareilles, ça me faisait grésiller la pelure comme une couenne de lard dans la poêle.

Pourtant, faut vous dire que j'avais ben entendu parler de c't'invention de Satan qu'on appelle la chasse-galerie ; que je l'avais même vue passer en plein jour comme je vous l'ai dit, devant l'église de Saint-Jean-Deschaillons ; et je vous cacherai pas que j'étais un peu curieux de savoir comment c'que mes guerdins s'y prenaient pour faire manœuvrer c'te machine infernale. Pour dire comme de vrai, j'avais presquement envie de voir ça de mes yeux.

– Eh ben, qu'en dites-vous, père Jos ? que fait Titange. Ça y est-y ?

– Ma frime, mon vieux, que je dis, dit-il, je dis pas que non. T'es sûr que y a pas de danger ?

– Pas plus de danger que sus la main ; je réponds de toute !

– Eh ben, j'en serons, que je dis. Quand c'qu'on part ?

– Aussitôt que le boss dormira, à neuf heures et demie au plus tard.

– Où ça ?

– Vous savez où c'qu'est le grand canot du boss ?

– Oui.

– Eh ben, c'est c'ty-là qu'on prend ; soyez là à l'heure juste. Une demi-heure après, on sera cheux le bom' Câlice Doucet. Et pi, en avant le *quick step*, le double-double et les ailes de pigeon ! Vous allez voir ça, père Jos, si on en dévide une rôdeuse de messe de Mênuit, nous autres, les gens de Trois-Rivières...

Et en disant ça, l'insécrable se met à danser sus son plançon un pas d'harlapatte en se faisant claquer les talons, comme s'il avait déjà été dans le milieu de la place cheux le bom' Câlice Doucet, à faire sauter les petites créatures de la banlieue de Trois-Rivières.

Tant qu'à moi, ben loin d'avoir envie de danser, je me sentais grémir de peur.

Mais vous comprenez ben, les enfants, que j'avais mon plan.

Aussi, comme dit monsieur le Curé, je me fis pas attendre. À neuf heures et demie sharp, j'étais rendu avant les autres et j'eus le temps de coller en cachette une petite image de l'Enfant Jésus dret sour la pince du canot.

– Ça c'est plus fort que le Diable, que je dis en moi-même ; et j'allons voir c'qui va se passer.

– Embarquons, embarquons vite ! que dit Titange à demi haut à demi bas, en arrivant avec quatre autres garnements et en prenant sa place au gouvernail. Père Jos, vous avez de bons yeux, mettez-vous à la pince et tenez la bosse. Les autres, aux avirons ! Personne a de scapulaire sus lui ?

– Non.

– Ni médailles ?

– Non.

– Ni rien de béni, enfin ?

– Non, non, non !

– Bon ! Vous êtes tous en place ? Attention là, à c't'heure ! et que tout le monde répète par derrière moi : « Satan, roi des Enfers, enlève-nous dans les airs ! Par la vertu de Belzébuth, mène-nous dret au but ! Acabris, acabras, acabram, fais-nous voyager par-dessus les montagnes ! » Nagez, nagez, nagez fort... à c't'heure !

Mais j't'en fiche, on avait beau nager, le canot grouillait pas.

– Quoi c'que ça veut dire, ça, bout de crime ? que fait Titange. Vous avez mal répété : recommençons !

Mais on eut beau recommencer, le canot restait là, le nez dans la neige, comme un corps sans âme.

– Mes serpents verts ! que crie Titange en lâchant une bordée de sacres ; y en a parmi vous autres qui trichent. Débarquez les uns après les autres, on voira ben.

Mais on eut beau débarquer les uns après les autres, pas d'affaires ! la machine partait pas.

– Eh ben, j'y vas tout seul, mes calvaires ! et que le gueulard du Saint-Maurice fasse une fricassée de vos tripes ! « Satan roi des Enfers... » Exétéra.

Mais il eut beau crier : « Fais-moi voyager par-dessus les montagnes », bernique ! le possédé était tant seurement pas fichu de voyager par-dessus une clôture.

Le canot était gelé raide.

Pour lorse, comme dit M. le curé, ce fut une tempête que les cheveux m'en redressent encore rien que d'y penser.

– Ma hache ! ma hache ! que criait Titange en s'égosillant comme un vrai nergumène. Je tue, j'assomme, j'massacre !... Ma hache !...

Par malheur, y s'en trouvait ben, une de hache, dans le fond du canot.

Le malvat l'empoigne, et, dret deboute sus une des tôtes, et ses oreilles de calèche dans le vent, y la fait tourner cinq ou six fois autour de sa tête, que c'en était effrayant. Y se connaissait pus !

C'était une vraie curiosité, les enfants, de voir ce petit maigrechigne qu'avait l'air d'un maringouin pommonique, et pi qui faisait un sacacoua d'enfer, qu'on aurait dit une bande de bouledogues déchaînés.

Tout le chantier r'soudit, c'pas, et fut témoin de l'affaire.

C'est au canot qu'il en voulait, à c't'heure.

– Toi, qu'y dit, mon cierge bleu ! J'ai récité les mots corrects ; tu vas partir ou ben tu diras pourquoi !

Et en disant ça, y se lance avec sa hache pour démantibuler le devant du canot, là où c'quétait ma petite image.

Bon sang de mon âme ! on n'eut que le temps de jeter un cri.

La hache s'était accrochée d'une branche, avait fait deux tours en y échappant des mains et était venue retimber dret sus le bras étendu du malfaisant que la secousse avait fait glisser les quat' fers en l'air dans le fond du canot. Le pauvre diable avait les nerfs du poignet coupés net. Ce soir-là, à mênuit, tout le chantier se mit à genoux et dit le chapelet en l'honneur de l'Enfant-Jésus.

Plusse que ça, le jour de l'An au soir, y nous arrivit un bon vieux missionnaire dans le chanquier, et on se fit pas prier pour aller à confesse tout ce que j'en étions, c'est tout c'que j'ai à vous dire ; Titange le premier.

Tout piteux d'avoir si mal réussi à mettre le bon Dieu en cache, y profitit même de l'occasion pour prendre le bord de Trois-Rivières, sans viser un seul instant, j'en signerais mon papier, à aller farauder les créatures cheux le bom' Câlice Doucet de la Banlieue.

Une couple d'années après ça, en passant aux Forges du Saint-Maurice, j'aperçus, accroupi sus le perron de la chapelle, un pauvre quêteux qu'avait le poignet tout crochi et qui tendait la main avec des doigts encroustillés et racotillés sans comparaison comme un croxignole de Noël.

En m'approchant pour y donner un sou, je reconnus Titange à Johnny Morissette, mon ancien piqueux.

Et cric, crac, cra ! Exétéra.

Le loup-garou

On retrouve certains traits du présent récit dans L'enfant mystérieux *de mon confrère, M. W. Eug. Dick. Évidemment nous avons dû nous inspirer de traditions plus ou moins identiques. – Louis Fréchette.*

Avez-vous entendu dire que la belle Mérance à Glaude Couture était pour se marier, vous autres ?

Non.

– Eh ben, oui ; y paraît qu'a va publier la semaine qui vient.

– Avec qui ?

– Devinez.

– C'est pas aisé à deviner ; elle a une vingtaine de cavaliers autour d'elle tous les dimanches que le bon Dieu amène.

– Avec Baptiste Octeau, je gage !

– Non.

– Damase Lapointe ?

– Vous y êtes pas... Tenez, vaut autant vous le dire tout de suite : a se marie avec le capitaine Gosselin de Saint-Nicolas.

– Avec le capitaine Gosselin de Saint-Nicolas ?

– Juste !

– Jamais je vous crairai !

– A va prendre ce mécréant-là ?

– Ah ! mais, c'est qu'il a de quoi, voyez-vous. Il lui a fait présent d'une belle épinglette d'or, avec une bague en diamant ; et la belle Mérance haït pas ça, j'vous l'dis !

– C'est égal : y serait ben riche fondé, propriétaire de toutes les terres de la paroisse, que je le prendrais pas, moi.

– Ni moi : un homme qu'a pas plus de religion...

– Qu'on voit jamais à l'église...

– Ni à confesse...

– Qui courra le loup-garou un de ces jours, certain !

– Si tu disais une de ces nuits...

– Dame, quand il aura été sept ans sans recevoir l'absolution...

– Pauvre Mérance, je la plains !

– C'est pas drôle d'avoir un mari qui se vire en bête tous les soirs pour aller faire le ravaud le long des chemins, dans les bois, on sait pas où. J'aimerais autant avoir affaire au démon tout de suite.

– C'est vrai qu'on peut le délivrer...

– Comment ça ?

– En le blessant, donc : en y piquant le front, en y coupant une oreille, le nez, la queue, n'importe quoi, avec quèque chose de tranchant, de pointu : pourvu qu'on fasse sortir du sang, c'est le principal.

– Et la bête se revire en homme ?

– Tout de suite.

– Eh ben, merci ! j'aime mieux un mari plus pauvre, mais qu'on soye pas obligé de saigner.

– C'est comme moi ! s'écrièrent ensemble toutes les fillettes.

– Vous croyez à ces blagues-là, vous autres ? fit une voix ; bandes de folles !

La conversation qui précède avait lieu chez un vieux fermier de Saint-Antoine de Tilly, où une quinzaine de jeunes gens du canton s'étaient réunis pour une « épluchette de blé d'Inde », après quoi on devait réveillonner avec des crêpes.

Comme on le voit, la compagnie était en train de découdre une bavette ; et, de fil en aiguille, c'est-à-dire de potin en cancan, les chassés-croisés du jabotage en étaient arrivés aux histoires de loups-garous.

Inutile d'ajouter que cette scène se passait il y a déjà bien des années, car – fort heureusement – l'on ne s'arrête plus guère dans nos campagnes, à ces vieilles superstitions et légendes du passé.

D'ailleurs, l'interruption lancée par le dernier des interlocuteurs prouve à l'évidence que, même à cette époque et parmi nos populations illettrées, ces traditions mystérieuses rencontraient déjà des incrédules.

– Tout ça, c'est des contes à ma grand-mère ! ajouta la même voix, en manière de réponse aux protestations provoquées de tous côtés par l'irrévérencieuse sortie.

– Ta, ta, ta !... Faut pas se moquer de sa grand-mère, mon petit ! fit une vieille qui, ne prenant point part à l'épluchette, manipulait silencieusement son tricot, à l'écart, près de l'âtre, dont les lueurs intermittentes éclairaient vaguement sa longue figure ridée.

– Les vieux en savent plus long que les jeunes, ajouta-t-elle : et quand vous aurez fait le tour de mon jardin, vous serez pas si pressés que ça de traiter de fous ceux qui croient aux histoires de l'ancien temps.

– Vous croyez donc aux loups-garous, vous, mère Catherine ? fit l'interrupteur avec un sourire goguenard sur les lèvres.

– Si vous aviez connu Joachin Crête comme je l'ai connu, répliqua la vieille, vous y crairiez bien vous autres étout, mes enfants.

– J'ai déjà entendu parler de c'te histoire de Joachin Crête, intervint un des assistants ; contez-nous-la donc, mère Catherine.

– C'est pas de refus, fit celle-ci, en puisant une large prise au fond de sa tabatière de corne. Aussi ben, ça fait-y pas de mal aux jeunesses d'apprendre ce qui peut leux pendre au bout du nez pour ne pas respecter les choses saintes et se gausser des affaires qu'ils comprennent point. J'ai pour mon dire, mes enfants, qu'on n'est jamais trop craignant Dieu.

Malheureusement, le pauvre Joachim Crête l'était pas assez, lui, craignant Dieu.

C'est pas qu'il était un ben méchant homme, non ; mais il était comme j'en connais encore de nos jours : y pensait au bon Dieu et à la religion quand il avait du temps de reste. Ça, ça porte personne en route.

Il aurait pas trigaudé un chat d'une cope, j'cré ben ; y faisait son carême et ses vendredis comme père et mère, à c'qu'on disait. Mais y se rendait à ses dévotions ben juste une fois par année ; y faisait des clins d'yeux gouailleurs quand on parlait de la quête de l'Enfant-Jésus devant lui : et pi, dame, il aimait assez la goutte pour se coucher rond tous les samedis au soir, sans s'occuper si son moulin allait marcher sus le dimanche ou sus la semaine.

Parce qu'il faut vous dire, les enfants, que Joachim Crête, avait un moulin, un moulin à farine, dans la concession de Beauséjour, sus la petite rivière qu'on appelle la Rigole.

C'était pas le moulin de Lachine, si vous voulez ; c'était pas non plus un moulin de seigneurie ; mais il allait tout de même, et moulait son grain de blé et d'orge tout comme un autre.

Il me semble de le voir encore, le petit moulin, tout à côté du chemin du roi. Quand on marchait pour not' première communion, on manquait jamais d'y arrêter en passant, pour se reposer.

C'est là que j'ai connu le pauvre malheureux : un homme dans la quarantaine qu'haïssait pas à lutiner les fillettes, soit dit sans médisance.

Comme il était garçon, y s'était gréé une cambuse dans son moulin, où c'qu'il vivait un peu comme un ours, avec un engagé du nom de Hubert Sauvageau, un individu qu'avait voyagé dans les Hauts, qu'avait été sus les cages, qu'avait couru la prétentaine un peu de tout bord et de tout côté, où c'que c'était ben clair qu'il avait appris rien de bon.

Comment c'qu'il était venu s'échouer à Saint-Antoine après avoir roulé comme ça ? On l'a jamais su. Tout c'que je peux vous dire, c'est que si Joachim Crête était pas c'que y avait de plus dévotieux dans la paroisse, c'était pas son engagé qui pouvait y en remontrer sus les principes comme on dit.

L'individu avait pas plus de religion qu'un chien, sus vot' respèque. Jamais on voyait sa corporence à la messe ; jamais il ôtait son chapeau devant le Calvaire ; c'est toute si y saluait le curé du bout des doigts quand y le rencontrait sus la route. Enfin, c'était un homme qu'était dans les langages, ben gros.

– De quoi c'que ça me fait tout ça ? disait Joachim Crête, quand on y en parlait ; c'est un bon travaillant qui chenique pas sus l'ouvrage, qu'est fiable, qu'est sobre comme moi, qui mange pas plusse qu'un autre, et qui fait la partie de dames pour me désennuyer : j'en trouverais pas un autre pour faire mieux ma besogne quand même qu'y s'userait les genoux du matin au soir à faire le Chemin de la Croix.

Comme on le voit, Joachim Crête était un joueur de dames : et si quéqu'un avait jamais gagné une partie de polonaise avec lui, y avait personne dans la paroisse qui pouvait se vanter de y avoir vu faire queuque chose de pas propre sus le damier.

Mais faut craire aussi que le Sauvageau était pas loin de l'accoter, parce que – surtout quand le meunier avait remonté de la ville dans la journée avec une cruche – ceux qui passaient le soir devant le moulin les entendaient crier à tue-tête chacun leux tour : – *Dame ! – Mange ! – Soufflé ! – Franc-coin ! – Partie nulle !...* Et ainsi de suite, que c'était comme une vraie rage d'ambition.

Mais arrivons à l'aventure que vous m'avez demandé de vous raconter.

Ce soir-là, c'était la veille de Noël, et Joachim Crête était revenu de Québec pas mal lancé, et – faut pas demander ça – avec un beau stock de provisions dans le coffre de sa carriole pour les fêtes.

La gaieté était dans le moulin.

Mon grand-oncle, le bonhomme José Corriveau, qu'avait une pochetée de grain à faire moudre, y était entré sus le soir, et avait dit à Joachim Crête :

– Tu viens à la messe de Mênuit sans doute ?

Un petit éclat de rire sec y avait répondu. C'était Hubert Sauvageau qu'entrait, et qu'allait s'assire dans un coin, en allumant son bougon.

– On voira ça, on voira ça ! qu'y dit.

– Pas de blague, la jeunesse ! avait ajouté bonhomme Corriveau en sortant : la messe de Mênuit, ça doit pas se manquer, ça.

Puis il était parti, son fouet à la main.

– Ha ! ha ! ha !... avait ricané Sauvageau ; on va d'abord jouer une partie de dames, monsieur Joachin, c'pas ?

– Dix, si tu veux, mon vieux ; mais faut prendre un coup premièrement, avait répondu le meunier.

Et la ribote avait commencé.

Quand ça vint sus les onze heures, un voisin, un nommé Vincent Dubé, cogna à la porte :

– Coute donc, Joachim, qu'y dit, si tu veux une place dans mon berlot pour aller à la messe de Mênuit, gêne-toi pas : je suis tout seul avec ma vieille.

– Merci, j'ai ma guevale, répondit Joachim Crête.

– Vont'y nous ficher patience avec leux messe de Mênuit ! s'écria le Sauvageau, quand la porte fut fermée.

– Prenons un coup ! dit le meunier.

Et en avant la pintochade, avec le jeu de dames !

Les gens qui passaient en voiture ou à pied se rendant à l'église, se disaient :

– Tiens, le moulin de Joachim Crête marche encore : faut qu'il ait gros de farine à moudre.

– Je peux pas craire qu'il va travailler comme ça sus le saint jour de Noël.

– Il en est ben capable.

– Oui, surtout si son Sauvageau s'en mêle...

Ainsi de suite.

Et le moulin tournait toujours, la partie de dames s'arrêtait pas ! et la brosse allait son train.

Une santé attendait pas l'autre.

Queuqu'un alla cogner à la fenêtre :

– Holà ! vous autres ; y s'en va mênuit. V'là le dernier coup de la messe qui sonne. C'est pas ben chrétien c'que vous faites là.

Deux voix répondirent :

– Allez au sacre ! et laissez-nous tranquilles !

Les derniers passants disparurent. Et le moulin marchait toujours.

Comme il faisait un beau temps sec, on entendait le tic-tac de loin ; et les bonnes gens faisaient le signe de la croix en s'éloignant.

Quoique l'église fût à ben proche d'une demi-lieue du moulin, les sons de la cloche y arrivaient tout à clair.

Quand il entendit le tinton, Joachim Crête eut comme une espèce de remords :

– V'là mênuit, qu'y dit, si on levait la vanne...

– Voyons, voyons, faites donc pas la poule mouillée, hein ! que dit le Sauvageau. Tenez, prenons un coup et après ça je vous fais gratter.

– Ah ! quant à ça, par exemple, t'es pas bletté pour, mon jeune homme !... Sers-toi, et à ta santé !

– À la vôtre, monsieur Joachim !

Ils n'avaient pas remis les tombleurs sus la table, que le dernier coup de cloche passait sus le moulin comme un soupir dans le vent.

Ça fut plus vite que la pensée... crac ! v'là le moulin arrêté net, comme si le tonnerre y avait cassé la mécanique. On aurait pu entendre marcher une souris.

– Quoi c'que ça veut dire, c'te affaire-là ? que s'écrie Joachim Crête.

– Queuques joueurs de tours, c'est sûr ! que fit l'engagé.

– Allons voir c'que y a, vite !

On allume un fanal, et v'là nos deux joueurs de dames partis en chambranlant du côté de la grand-roue. Mais ils eurent beau chercher et fureter dans tous les coins et racoins, tout était correct ; y avait rien de dérangé.

– Y a du sorcier là-dedans ! qu'y dirent en se grattant l'oreille.

Enfin, la machine fut remise en marche, on graissit les mouvements, et nos deux fêtards s'en revinrent en baraudant reprendre leux partie de dames – en commençant par reprendre un coup d'abord, ce qui va sans dire.

– Salut, Hubert !

– C'est tant seulement, monsieur Joachim...

Mais les verres étaient à peine vidés que les deux se mirent à se regarder tout ébarouis. Y avait de quoi : ils étaient soûls comme des barriques d'abord, et puis le moulin était encore arrêté.

– Faut que des maudits aient jeté des cailloux dans les moulanges, balbutia Joachim Crête.

– Je veux que le gripette me torde le cou, baragouina l'engagé, si on trouve pas c'qu'en est, c'te fois-citte !

Et v'là nos deux ivrognes, le fanal à la main, à rôder tout partout dans le moulin, en butant pi en trébuchant sus tout c'qu'y rencontraient.

Va te faire fiche ! y avait rien, ni dans les moulanges ni ailleurs.

On fit repartir la machine ; mais ouiche, un demi-tour de roue, et pi crac !... Pas d'affaires : ça voulait pas aller.

– Que le diable emporte la boutique ! vociféra Joachim Crête. Allons-nous-en !

Un juron de païen lui coupa la parole. Hubert Sauvageau, qui s'était accroché les jambes dans queuque chose, manquable, venait de s'élonger sus le pavé comme une bête morte.

Le fanal, qu'il avait dans la main, était éteindu mort comme de raison ; de sorte qu'y faisait noir comme chez le loup : et Joachim Crête, qu'avait pas trop à faire que de se piloter tout seul, s'inventionna pas d'aller porter secours à son engagé.

– Que le pendard se débrouille comme y pourra ! qu'y dit, moi j'vas prendre un coup.

Et, à la lueur de la chandelle qui reluisait de loin par la porte ouverte, il réussit, de Dieu et de grâce, et après bien des zigzags, à se faufiler dans la cambuse, où c'qu'il entra sans refermer la porte par derrière lui, à seule fin de donner une chance au Sauvageau d'en faire autant.

Quand il eut passé le seuil, y piqua tout dret sus la table où c'qu'étaient les flacons, vous comprenez ben ; et il était en frais de se verser une gobe en swignant sus ses hanches, lorsqu'il entendit derrière lui comme manière de gémissement.

– Bon, c'est toi ? qu'y dit sans se revirer ; arrive, c'est le temps.

Pour toute réponse, il entendit une nouvelle plainte, un peu plus forte que l'autre.

– Quoi c'que y a !... T'es-tu fait mal ?.... Viens prendre un coup, ça te remettra.

Mais bougez pas, personne venait ni répondait.

Joachim Crête, tout surpris, se revire en mettant son tombleur sus la table, et reste figé, les yeux grands comme des piastres françaises et les cheveux drets sus la tête.

C'était pas Hubert Sauvageau qu'il avait devant la face : c'était un grand chien noir, de la taille d'un homme, avec des crocs longs comme le doigt, assis sus son derrière, et qui le regardait avec des yeux flamboyants comme des tisons.

Le meunier était pas d'un caractère absolument peureux : la première souleur passée, il prit son courage à deux mains et appela Hubert :

– Qui c'qu'a fait entrer ce chien-là icitte ?

Pas de réponse.

– Hubert ! insista-t-il la bouche empâtée comme un homme qu'a trop mangé de cisagrappes, dis-moi donc d'où c'que d'sort ce chien-là !

Motte !

– Y a du morfil là-dedans ! qu'y dit : marche te coucher, toi !

Le grand chien lâcha un petit grognement qui ressemblait à un éclat de rire, et grouilla pas.

Avec ça, pas plus d'Hubert que sus la main.

Joachim Crête était pas aux noces, vous vous imaginez. Y comprenait pas c'que ça voulait dire ; et comme la peur commençait à le reprendre, y fit mine de gagner du côté de la porte. Mais le chien n'eut qu'à tourner la tête avec ses yeux flambants, pour y barrer le chemin.

Pour lorsse, y se mit à manœuvrer de façon à se réfugier tout doucement et de raculons entre la table et la couchette, tout en perdant le chien de vue.

Celui-ci avança deux pas en faisant entendre le même grognement.

– Hubert ! cria le pauvre homme sur un ton désespéré.

Le chien continua à foncer sus lui en se redressant sus ses pattes de derrière, et en le fisquant toujours avec ses yeux de braise.

– À moi !... hurla Joachim Crête hors de lui, en s'acculant à la muraille.

Personne ne répondit ; mais au même instant, on entendit la cloche de l'église qui sonnait l'Élévation.

Alors une pensée de repentir traversa la cervelle du malheureux.

– C'est un loup-garou ! s'écria-t-il, mon Dieu, pardonnez-moi !

Et il tomba à genoux.

En même temps l'horrible chien se précipitait sus lui.

Par bonheur, le pauvre meunier, en s'agenouillant, avait senti quèque chose derrière son dos, qui l'avait accroché par ses hardes.

C'était une faucille.

L'homme eut l'instinct de s'en emparer, et en frappa la brute à la tête.

Ce fut l'affaire d'un clin d'œil, comme vous pensez bien. La lutte d'un instant avait suffi pour renverser la table, et faire rouler les verres, les bouteilles et la chandelle sus le plancher. Tout disparut dans la noirceur.

Joachim Crête avait perdu connaissance.

Quand il revint à lui, quéqu'un y jetait de l'eau frette au visage, en même temps qu'une voix ben connue y disait :

– Quoi c'que vous avez donc eu, monsieur Joachim ?

– C'est toi, Hubert ?

– Comme vous voyez.

– Où c'qu'il est ?

– Qui ?

– Le chien.

– Queu chien ?

– Le loup-garou.

– Hein !...

– Le loup-garou que j'ai délivré avec ma faucille.

– Ah ! ça, venez-vous fou, monsieur Joachim ?

– J'ai pourtant pas rêvé ça... Pi toi, d'où c'que tu deviens ?

– Du moulin.

– Mais y marche à c'te heure, le moulin ?

– Vous l'entendez.

– Va l'arrêter tout de suite : faut pas qu'y marche sus le jour de Noël.

– Mais il est passé le jour de Noël, c'était hier.

– Comment ?

– Oui, vous avez été deux jours sans connaissance.

– C'est-y bon Dieu possible ! Mais quoi c'que t'as donc à l'oreille, toi ? du sang !

– C'est rien.

– Où c'que t'as pris ça ? Parle !

– Vous savez ben que j'ai timbé dans le moulin, la veille de Noël au soir.

– Oui.

– Eh ben, j'me suis fendu l'oreille sus le bord d'un sieau.

Joachim Crête, mes enfants, se redressit sur son séant, hagard et secoué par un frémissement d'épouvante :

– Ah ! malheureux des malheureux ! s'écria-t-il ; c'était toi !...

Et le pauvre homme retomba sus son oreiller avec un cri de fou.

Il est mort dix ans après, sans avoir retrouvé sa raison.

Quant au moulin, la débâcle du printemps l'avait emporté.

Un voleur

L'hiver était bien rude, et plus d'un pauvre avait
Vu la fièvre et la faim s'asseoir à son chevet.
À maint foyer, malgré la froidure croissante,
La bûche de Noël, hélas ! était absente.
Que de petits souliers usés et décousus
Allaient être oubliés par le Petit-Jésus !

Noël ! – La rue était brillamment éclairée ;
Sur les trottoirs glissants une foule affairée
Des magasins ouverts assiégeait les abords ;
Mille objets attrayants s'étalait au-dehors,
En groupes à l'aspect plus ou moins symétrique,
Rutilant sous des flots de lumière électrique.
Partout rire et gaieté ; le givre éblouissant
Semblait chanter joyeux sous le pied du passant ;
Tout paraissait noyé dans des lueurs d'opale.

Un instant j'entrevis un enfant frêle et pâle,
Un tout petit garçon grelottant, mal vêtu,
Qui battait la semelle, et d'un air abattu,
Dévorait du regard un brillant étalage,
Des mille riens dorés qui plaisent tant à l'âge
Où l'on n'a pas encor le cœur rassasié.
Le petit mendiant semblait extasié.

J'allais moi-même entrer pour faire quelque emplette :
Jouets d'enfants, menus articles de toilette,
Bibelots si charmants à donner ce jour-là,
Lorsque, le cœur serré, j'entends crier : – Holà !

153/156

Au voleur ! qu'on l'empoigne ! Oh ! l'affreux misérable !
Police !
En un instant la foule inexorable
Avait appréhendé le délinquant ; c'était
Le malheureux gamin ; hagard, il haletait
Au poignet d'un sergent et sous l'âpre huée,
Tandis que sa main gourde et mal habituée
Au métier de l'opprobre essayait gauchement,
Sous les lambeaux troués d'un pauvre vêtement,
De cacher une raide et pimpante poupée.
Le voleur était pris.
L'âme préoccupée,
Je poursuivis ma route. Or, en rentrant chez moi,
J'embrassai mes enfants, ce soir-là, plein d'émoi ;
Je ne sais trop pourquoi l'action insensée
Du petit inconnu tourmentait ma pensée.

Et quand, la nuit venue, écartant les rideaux,
En tapinois j'allai déposer mes cadeaux,
Je revis – un hoquet de toux à la poitrine –
L'enfant déguenillé penché vers la poitrine.
Je le vis tout tremblant, avec avidité,
Porter sa main transie à l'objet convoité,
Entrouvrir les haillons qui le couvraient à peine,
L'y cacher, et soudain fuir à perte d'haleine.
Puis la police, puis le procès, la prison...
Enfin le déshonneur, le deuil à la maison !
Une première faute... Un orphelin peut-être...
Malgré moi je plaignais le pauvre petit être.

Si bien que je ne sais quel prétexte banal
Me conduisit deux jours plus tard au tribunal.

Entre deux vagabonds et deux filles de bouges
Le petit comparut livide et les yeux rouges.
Son histoire était courte et triste. Cet enfant,
Hélas ! était de ceux que la loi ne défend,
Qu'à regret, dirait-on ; classe déshéritée
De malheureux sans pain n'ayant que la dictée
De leur cœur, ici-bas, pour supporter leur lot.
Trois ans auparavant, frappé par un ballot
Qu'il arrimait à bord d'un brick faisant escale,
Son père était tombé sans vie à fond de cale.
Et la mère avait dû, de saison en saison,
Peiner pour apporter du pain à la maison.
Lui-même – le petit – avait payé sa dette
À la famille, ayant gardé sa sœur cadette,
Lorsque la mère allait travailler au dehors.
Et puis la maladie était venue ; alors
Il avait à son tour dû chercher de l'ouvrage.
Tout ce qu'un pauvre enfant peut avoir de courage,
Il l'avait dépensé sans plainte, avec douceur,
Pour sa mère clouée au chevet de sa sœur...
Ce soir-là même, ayant vu pleurer la petite
En songeant à Noël, il était sorti vite,
Et, le cœur gros, avait à mainte porte osé
Mendier un cadeau qu'on avait refusé.

C'est pour elle, monsieur, oui, pour ma sœur mourante
Que j'ai volé, dit-il d'une voix déchirante ;

C'est la première fois !
Et l'enfant, à ces mots,
Se cacha le visage, et, fondant en sanglots,
S'affaissa lourdement sur la banquette infâme.
Et je sortis, plaignant dans le fond de mon âme
Les juges (leur devoir veut quelquefois cela)
Condamnés à punir de ces criminels-là !

Milton Keynes UK
Ingram Content Group UK Ltd.
UKHW031826270923
429475UK00009B/266